CW00407867

La biblioteca di Gianni Rodari

Prima pubblicazione 1962 Giulio Einaudi editore s.p.a., Torino

ISBN 978-88-7926-951-3

www.edizioniel.com

Il Pianeta degli alberi di Natale esce per la prima volta sul quotidiano «Paese Sera» il 24/25 dicembre 1959, e nel '62 viene pubblicato in volume (illustrazioni di Bruno Munari, Torino, Einaudi) con integrazioni e varianti.

Gianni Rodari

Il Pianeta degli alberi di Natale

Disegni di Bruno Munari

Einaudi Ragazzi

Il Pianeta degli alberi di Natale

Spiegazione

Ho rivelato per la prima volta l'esistenza del Pianeta degli alberi di Natale nel mio libro Filastrocche in cielo e in terra. *In un altro libro,* Favole al telefono, *ho poi descritto le piú curiose caratteristiche di quel mondo bizzarro, pur senza nominarlo, dando notizia di strabilianti invenzioni come: la caramella istruttiva, lo staccapanni, la tristecca ai ferri.*

Sono lieto ora di fornire la prova definitiva che il Pianeta degli alberi di Natale esiste. Nella prima parte di questo libro potrete leggere la storia della sua esplorazione (ricavata dal giornale di Roma «Paese Sera» del 26 dicembre 1959). Nella seconda parte troverete altri documenti interessantissimi: il Calendario di quel pianeta, con oroscopi e proverbi; le «poesie per sbaglio», che lassú vanno molto di moda, e che comprendono anche alcuni simpatici giochi.

Spero cosí di mettere finalmente a tacere certi critici dubbiosi.

Il libro, dalla prima pagina all'ultima (ma anche dall'ultima alla prima), è dedicato ai bambini di oggi, astronauti di domani.

Parte prima

Il Pianeta degli alberi di Natale

Capitano, un uomo in cielo!

– Capitano, un uomo in cielo!
– Da che parte?
– Dalla parte della coda, signore.
– Presto, datemi un trinocolo.

Parentesi.

La prima volta che ho raccontato questa storia, subito dopo la parola «trinocolo» un signore mi ha zittito:

– Giovanotto, cominciamo male. Un uomo in cielo? Tutto sbagliato: anche i bambini sanno che si dice «un uomo in mare». In secondo luogo, la coda ce l'hanno gli asini, ma è difficile immaginare un capitano al comando di un asino. Infine, dovrebbe avere la bontà di spiegarci che cos'è un «trinocolo». Forse un binocolo con la gobba?

– Dottore, – dissi. Era quasi certamente un dottore, perché portava la cravatta e i pantaloni stirati. A Roma i cittadini che vestono a quel modo hanno quasi sempre diritto al titolo di dottore.

– Dottore, – dissi dunque, – nei suoi panni non avrei tanta fretta di criticare a destra e a sinistra.

– E dalla parte della coda, – m'interruppe.

– Il dialogo da me riferito, – continuai senza raccogliere la provocazione, – avveniva a bordo di un'astronave in volo negli

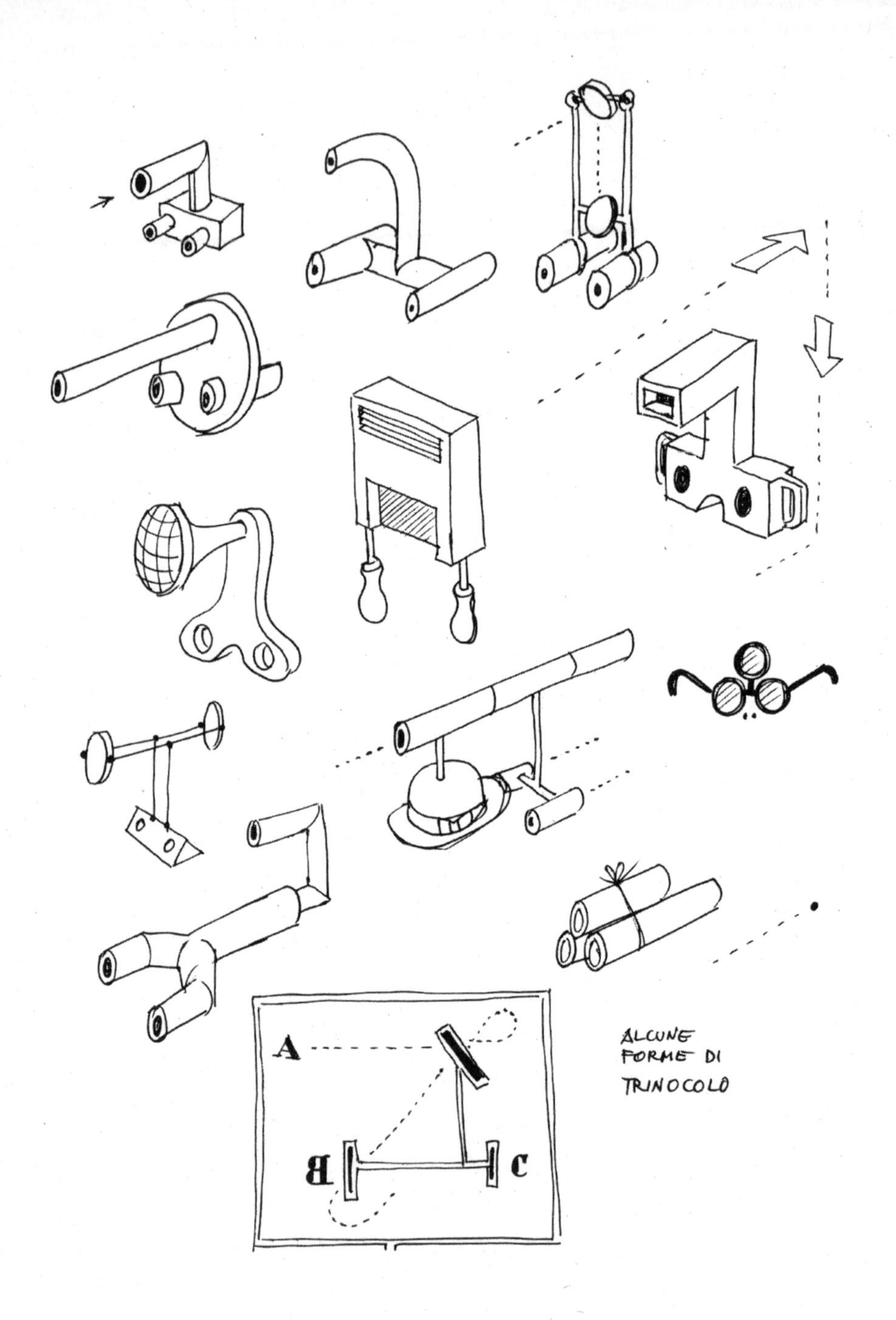
A
B
C
ALCUNE
FORME DI
TRINOCOLO

spazi interplanetari. Nei dintorni, in quel momento, non c'erano mari né laghi, ma soltanto cielo, un cielo nerissimo da far male agli occhi. Dal dialogo s'indovina, anche senza sforzare troppo il cervello, che la sentinella aveva avvistato un naufrago, alla luce dei fanali di coda: ma un naufrago, in quelle circostanze, poteva essere soltanto e precisamente «un uomo in cielo». Le svelerò un altro segreto: l'astronave in questione, per motivi che verranno comunicati in seguito, aveva la forma di un cavallo: qualcuno può trovare strano che un cavallo abbia la coda? Altri corpi celesti, per esempio le comete, ne hanno una: le code hanno dunque pieno diritto di cittadinanza negli spazi. E veniamo al «trinocolo». Vuol sapere che cos'è? È un binocolo perfezionato, con una terza canna che girando sopra la testa punta la sua lente in direzione posteriore e permette di vedere dietro la schiena, diciamo pure dalla parte della coda, senza fare la fatica di voltarsi. Un'invenzione, secondo me, utilissima. Allo stadio, per esempio, disponendo di un «trinocolo», lei con le lenti davanti potrebbe seguire attentamente la partita e intanto, con la lente di dietro, si godrebbe la vista dei tifosi della squadra che perde. Non le piacerebbe?

Il dottore borbottò qualcosa nella cravatta, si aggiustò la piega dei pantaloni, poi si ricordò che aveva da fare e si dileguò nella notte senza ascoltare il seguito della storia. Peggio per lui. Chiudiamo la parentesi e torniamo da capo.

Il signor ex Paulus.

Il capitano afferrò il trinocolo, osservò con interesse il naufrago che galleggiava nella scia luminosa dell'astronave, poi disse:

– Non è un uomo, è un bambino.

– Ecco, – commentò il timoniere, – i bambini vogliono

sempre stare vicino al finestrino: si capisce che poi ogni tanto ne cade qualcuno per aria.

Il capitano sorrise:

– Sta in groppa a un cavallo a dondolo. Missione compiuta. Ma non perdiamo tempo: sia messa in azione una calamita.

Non aveva ancora richiuso del tutto la bocca, dopo aver dato l'ordine, che cavallo e cavaliere venivano a urtare dolcemente contro la pancia dell'astronave. Uno sportello si spalancò, il naufrago venne preso a bordo.

Poteva avere sui nove, dieci anni: un brunetto col ciuffo in mezzo agli occhi, vestito di un pigiama rosso. E che tipo: balzò di sella, incrociò le braccia, girò un'occhiataccia sull'equipaggio che gli faceva intorno il girotondo e, sorvolando sull'opportunità di dare la «buonasera» ai presenti, cominciò a protestare con un gagliardo accento romanesco:

– Ahò! Vi avverto, se v'interessa saperlo, che non mi considero affatto vostro prigioniero.

– Prigioniero? – ripeté il capitano, grattandosi la barba. – Non capisco.

– Se non capisce lei, si figuri cosa dovrei dire io.

– Per esempio, potresti dirci come ti chiami.

– Mi chiamo Marco Milani. E lei, scusi?

Il capitano si grattò nuovamente la barba, mentre alcuni uomini dell'equipaggio ridacchiavano e si scambiavano gomitate maligne.

– Hai messo il dito su una piaga aperta, – disse il capitano. – Fino a una settimana fa mi chiamavo Paulus. Ma erano già quasi due anni che portavo quel nome e non me lo potevo piú sentire addosso, come una camicia sporca. Cosí me lo sono levato. Però non ho ancora trovato un nome che mi piaccia, e oggi come oggi non mi chiamo in nessun modo. Tu, che nome mi consiglieresti?

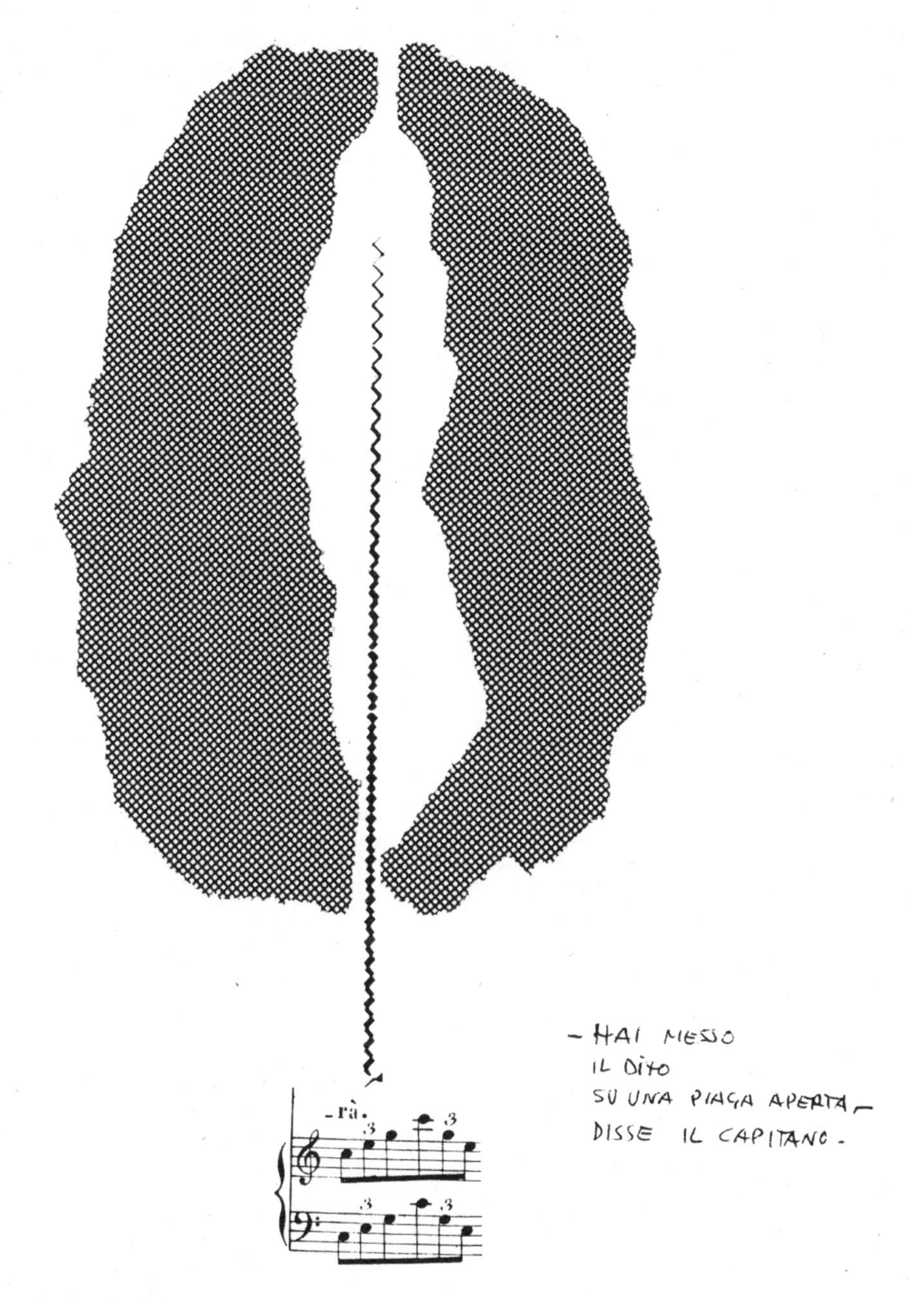
-rà.
- HAI MESSO
IL DITO
SU UNA PIAGA APERTA -
DISSE IL CAPITANO -

Marco gli diede una sbirciata sospettosa.
– Hm... Lei ha voglia di ridere. Il suo nome, immagino, sarà un segreto militare. Ma se lo tenga pure stretto: non brucio dalla voglia di saperlo. Piuttosto, è lei il capitano o no?
– Fino alle nove sono io, – ammise l'ex Paulus. – Qui facciamo a turno.
– Allora siete tutti capitani.
– Oh, siamo anche colonnelli, generali e caporali maggiori. Titoli e gradi non costano niente.
– Dove?
– Sul nostro pianeta.
– Sicché avevo ragione di pensarlo: non siete dei terrestri.

Il pianeta Serena.

Stavolta li osservò con piú attenzione, ma non notò niente di strano nel loro aspetto: né antenne in cima alla testa, né corna sulla fronte, niente. Qualcuno aveva la barba, qualche altro i baffi, altri erano rasati completamente. Avevano due gambe e due braccia a testa, mani di cinque dita, naso e orecchie al posto giusto. Erano tutti in pigiama. Marco pensò che al momento di prenderlo a bordo stessero per andare a letto.
– E il vostro pianeta come si chiama? – domandò.
– Si chiama «il pianeta» e basta.
– Oh, oh! Ricominciamo coi segreti militari.
– Niente affatto. Voi come chiamate il vostro? Terra, semplicemente. Solo ai pianeti degli altri affibbiate quei curiosi soprannomi: Marte, Mercurio, eccetera.
– E voi la Terra, come la chiamate?
Il capitano sorrise:
– Serena.

– Serena? Allora io sarei un sereniano, o forse un sereni-no o magari un serenello. Buona, questa! Quando la racconterò al Testaccio farò ridere anche i quarti di bue appesi nei frigoriferi del macello.

– Chi è il Testaccio? – domandò l'ex Paulus.

– Non è nessuno. Segreto militare, – ribatté Marco. – Serena... Ma lasciamo perdere: vorrei piuttosto sapere com'è che mi trovo qui.

– Sei tu che dovresti raccontarcelo, – osservò il capitano. – Noi non abbiamo fatto che pescarti con una calamita mentre te ne andavi a spasso per la Via Lattea. Il tuo arrivo però, in un certo senso, era previsto. Infatti avevamo avuto l'ordine d'incrociare in questa zona e di raccogliere eventuali naufraghi. Per dare un ordine del genere, lassú dovevano sapere di certo che eri in viaggio.

– Per conto mio non mi sarei mai mosso da Roma. Fino a qualche minuto fa me ne stavo nella mia stanza, e non sapevo davvero che mi sarebbe toccato partire.

– Quelli, lassú, la sanno lunga, caro mio: da qui a Roma e ritorno.

Il cavallo a dondolo.

– Ritorno? Speriamo, – disse Marco. – Comunque la mia storia è breve e perfino un po' stupida. Tutto è successo per colpa del mio compleanno. Ho nove anni oggi, se v'interessa. Cosí, capirete che ci sono rimasto male quando mio nonno mi ha regalato un cavallo a dondolo. Per prima cosa ho pensato: «Se lo sanno i miei amici, non potrò piú farmi vedere in giro per il Testaccio». Il nonno, tra l'altro, mi aveva quasi promesso un modello d'aeroplano col motore a scoppio. E invece ero io che dovevo scoppiare dalla rabbia.

– Ma perché? I cavalli a dondolo sono bellissimi.

SONO RIMASTO MALE
QUANDO MIO NONNO MI HA REGALATO
UN CAVALLO A DONDOLO -

– Sí, per i bambini dell'asilo. Fatemi il piacere! Insomma, prendo questo affare, lo porto in camera da letto e non ci penso piú per tutta la giornata. Questa sera, mi ero già spogliato e stavo per coricarmi, la rabbia mi è tornata. Lui se ne stava lí zitto zitto, mogio mogio, stupido stupido. Guardatelo, per piacere. Osservate che espressione balorda gli hanno dipinto sul muso. «Cosa ne farò?» pensavo. «Come liberarmene?» Intanto, distrattamente, gli monto in groppa. E adesso attenzione: non avevo finito d'infilare i piedi nelle staffe, che sentii un gran rombo nelle orecchie e vidi tutto nero. Mi mancava il respiro. Chiusi gli occhi... Quando li riapersi, stavamo volando fuori dalla finestra e i tetti di Roma scappavano sotto i miei piedi.

– Benissimo, – commentò allegramente il capitano ex Paulus.

– Benissimo un corno. Prima di tutto faceva freddo e io avevo indosso solo il pigiama. E poi, provate a farvi ubbidire da un cavallo a dondolo... Ma già, voi volate proprio con un cavallo spaziale... «Torna indietro», gridavo. «Torna subito a terra». Macché. Lui aveva puntato il naso sulla Luna e tirava diritto, sempre con quell'espressione stupida di quando era uscito dal pacco: gli stessi occhi senza sguardo, le froge senza respiro, un po' di segatura nelle orecchie. Non c'era niente di vivo in lui, e non c'è niente neanche adesso, guardatelo: non un centimetro quadrato di pelle viva, non un peluzzo della criniera dipinta. A battergli con le nocche delle dita sulla pancia, ne usciva un suono di tamburello. Non ci misi mica molto a capire che non aveva un motore nella pancia, né un'elica sotto la coda. Volava, e basta. Come? Vallo a indovinare. E per volare, volava davvero: la Terra, la vostra «Serena», diventò presto, sotto di me, un piatto azzurrino, un piattino da caffè. Poi, invece di vedermela sotto i piedi, me la vidi sopra la testa: prima mi pareva di salire, adesso di scendere; anzi, di cascare nel vuoto, sempre piú giú, sempre piú in fretta. «Serena» diventò un puntino in mezzo a un milione di puntini. «Arrivederci, Roma! Eccomi fritto», pensavo. «Perduto nello spazio, senza neanche la possibilità di far sapere ai miei dove sono».

– Ma lo spettacolo, eh? Lo spettacolo doveva essere mica male... – insinuò il capitano.

– Ero troppo arrabbiato, per farci caso. Mettetevi nei miei panni; anzi, nel mio pigiama: rapito da un cavallo a dondolo. Rapito in cielo da un quadrupede di cartapesta. Mio padre starà buttando per aria mezza città per cercarmi.

– Chi lo sa, – intervenne il capitano. – Gli orologi di Roma, se non mi sbaglio, in questo momento dovrebbero segnare le ventitre e quaranta. I tuoi ti crederanno a letto, addormentato.

– Già. E domattina? Basta, non pensiamoci. Del resto ormai ho poco da raccontare. A un certo punto ho visto davanti a me una specie di cavallone, con un centinaio di finestre illuminate nella pancia e fanali abbaglianti ai quattro zoccoli. E voi mi avete pescato. Stop.

L'equipaggio accolse la conclusione della storia con una cordiale risata.

– Divertitevi, divertitevi, – borbottò Marco. – Basta che mi riportiate indietro!

– Noi? – esclamò il capitano. – Figliolo mio, ti sbagli davvero. Tra due ore al massimo sbarcherai sul nostro pianeta. Questi sono gli ordini.

Marco stava cercando le parole piú energiche per protestare, quando scoppiò tutt'intorno un frastuono orrendo, come se centomila cani arrabbiati avessero cominciato nello stesso istante ad abbaiare. Le pareti del cavallo spaziale tremarono. Dagli altoparlanti una voce riuscí a malapena a farsi intendere.

Gli Arcicani.

– Allarme di prima classe. Siamo circondati.

Il capitano ex Paulus afferrò Marco per un braccio:

– Vieni nella mia cabina, presto.

– Meno male, – aggiunse poi, mentre salivano una ripida scaletta, – che l'attacco è capitato prima delle nove, cosí me lo posso godere dalla cabina di comando. Di qui, – e spalancò una porticina, – si vede tutto. Siamo nella testa del cavallo. Guarda.

Una vetrata circolare correva intorno alla cabina: pareva di stare nella veranda d'un rifugio d'alta montagna.

Dalle profondità del cielo giungevano orde di mostri luminosi e, a ondate ululanti, s'avventavano sull'astronave.

– Ma abbaiano, – disse Marco interessato. – Sono cani, cani volanti. Accipicchia!

– Sono Arcicani, – precisò il capitano ex Paulus.

– Astronavi come il vostro cavallo? Una flotta nemica?

– No, no: sono proprio orribili bestiacce. Vedi quelle che sembrano ali? Sono le orecchie. Girano la coda come un'elica: è cosí che si sostengono nell'aria.

– E abbaiano.

– Già, senti che roba! Un attacco tremendo.

Un Arcicane puntò diritto sul muso del cavallo; si accostò, come per spiare attraverso le vetrate. Pareva che abbaiasse anche con gli occhi, con le zampe e con la pancia. Marco dovette tapparsi le orecchie, ma il chiasso gli entrava nella testa, lo riempiva tutto, gli faceva scricchiolare le ossa.

– Attenzione! – gridò.

L'arcicane schiacciava il muso contro i vetri, digrignando le zanne come se volesse morderli.

– Niente paura, – disse il capitano, – è vetro infrangibile. E poi arcicane che abbaia non morde, lo sai anche tu. Non ci

GLI ARCICANI

mangeranno. Ma sono fastidiosissimi: potrebbero farci diventare sordi quanti siamo. Non c'è altra difesa che la fuga. Per fortuna le nostre astronavi sono molto piú veloci di loro.

– Ma sarebbe piú semplice ammazzarli, – osservò Marco. – Cosí ve ne liberate una volta per sempre.

Il capitano ex Paulus gli rivolse un'occhiata strana:

– Ammazzarli? Non capisco.

– Ucciderli, distruggerli, sterminarli, annientarli. Non ce l'avete il raggio mortale? E le pistole disintegratrici? Non avete proprio imparato niente dai fumetti?

Il capitano ex Paulus si grattò la barba con molto vigore.

– Senti, – disse poi, – ti sarai accorto che noi comprendiamo e parliamo la tua lingua, grazie a questo interprete elettronico, – e gli mostrò una specie di bottone nascosto sotto il bavero del pigiama. – Ma si vede che l'apparecchio non funziona bene, o forse tu adoperi parole nuove, che non sono ancora state registrate. Fatto sta che non ti capisco proprio. «Ammazzare». Che significa?

Marco scoppiò a ridere:

– Scusi se rido, eh? Ma «ammazzare» è una delle prime parole del mondo, delle piú antiche, come risulta anche dalla Bibbia.

L'ex Paulus non gli dava piú retta. Gridò qualche ordine in un microfono; toccò un pulsante, spostò una leva e in pochi secondi l'astronave acquistò velocità, sprofondò negli spazi neri, distanziando gli Arcicani con tutto il loro fracasso.

Sbarco in pigiama.

In quel momento qualcuno bussò alla porta della cabina.

– Sono le nove, – disse l'ex Paulus. – Arriva il capitano di ricambio. Ti saluto.

Entrò un omone dalla faccia malinconica.

– Me l'hai fatta, – cominciò a lagnarsi il nuovo venuto. – Mi hai soffiato lo spettacolo.

– Orario è orario, – rispose ex Paulus, fregandosi le mani. – Un'altra volta toccherà a te. Ragazzino, ti presento il capitano Petrus.

Marco strinse la mano dell'omone senza perdere d'occhio una stella assai piú luminosa delle altre, che da qualche istante s'avvicinava rapidamente. Prima che egli avesse il tempo di chiederne il nome, l'astro era diventato un grosso piatto verdino; poi anche il piatto s'allargò, si gonfiò a pallone, e sulla sua superficie apparvero ombre e contorni, come di terre e di mari.

«Pare che ci stia cascando addosso», pensò Marco. Ma si tenne per sé la sua osservazione. Petrus, infatti, si mostrava tranquillo quanto mai: segno che non c'era niente da temere. Anzi, messa da parte la malinconia, si stropicciava a sua volta allegramente le mani.

– Siamo a casa, – disse ad un certo punto il nuovo capitano. – Quello è il Pianeta. Tra poco ci rovesceremo e ce lo vedremo ai piedi. Gli gireremo attorno un paio di volte, per perdere velocità, e poi, col tuo permesso, atterreremo.

Accadde puntualmente ciò che Petrus aveva predetto. In piú, quando l'astronave entrò nell'atmosfera del pianeta, si fece giorno tutto in una volta. Le luci di bordo, ormai inutili, vennero spente.

L'orologio del capitano segnava le nove e trenta di un luminoso mattino quando Marco, piuttosto intontito, appoggiò le sue pantofole sul suolo del pianeta sconosciuto.

Al momento di uscire dal cavallo, sorprendendo la propria immagine in uno specchio, egli si era accorto d'indossare ancora il pigiama e aveva provato un certo imbarazzo; ma anche il capitano ex Paulus, e Petrus, e gli uomini

- QUELLO È IL PIANETA

dell'equipaggio, si trovavano in pigiama, e non mostravano nessuna intenzione di cambiarsi prima dello sbarco. Marco decise fra sé che la moda, su quel paese, doveva essere diversa da quella di Roma. «Si vede che qui si mettono la cravatta quando vanno a letto», pensò. E, senza piú preoccuparsi del proprio abbigliamento, si guardò intorno.

L'astronave si dondolava dolcemente sulla pista di un gigantesco aeroporto. Era proprio un'astronave a dondolo. Altri cavalli spaziali partivano o arrivavano senza un nitrito da tutte le direzioni. Marco non ebbe il tempo di fare altre osservazioni, perché un ragazzino, press'a poco della sua età, anche lui nero di capelli ma vestito di un pigiama giallo, gli veniva incontro leggero e disinvolto, col passo sicuro del padron di casa che riceve gli ospiti.

La nuova guida.

– Marco! – chiamò, quando fu a pochi passi. – Salute, Marco. Hai fatto un buon viaggio, spero.

Ma chi era questo qua? E come lo conosceva? Quando mai erano stati a balia insieme? Marco si ricordò in tempo che per far onore al Testaccio, e a Roma tutta, non bisognava mostrare meraviglia e rispose al saluto con un breve mugugno.

– Come dici? – gli domandò il ragazzino sorridendo.

– Dico, quale buon viaggio, – borbottò Marco. – Io non avevo nessuna intenzione d'andare in nessun posto. Sono stato portato qui contro la mia volontà, e protesto.

– Lo senti? – rise il capitano Petrus, battendo una manata sulle spalle del ragazzino.

– Salute, ex Paulus, – continuò il piccolo sconosciuto rivolgendosi all'altro capitano. – L'avete trovato il nuovo nome? Come vi debbo chiamare adesso?

– Ah, non lo so proprio! Metterò dieci nomi in un cappello e tirerò a sorte. Il sereniano, qui, non ha voluto darmi un consiglio.

– Scelga Arbitro Venduto, – disse sgarbatamente Marco.

Tutti risero.

– Bene, noi ce ne andiamo, – disse Petrus. – Ti consegno il naufrago sano e salvo: non gli manca un bottone.

– Cosa? – protestò Marco. – Adesso mi scaricate. Mi fate venire fin dalla Terra per mettermi nelle mani di un bamboccio dell'asilo?

– Non so cosa farci, – rispose Petrus. – Io ubbidisco agli ordini. E se permetti, ti saluto caramente e sono il tuo affezionatissimo...

– Ma non mi lascerete cosí! Chi mi riporterà sulla Terra?

– Non ti preoccupare, – gridò ex Paulus, che già s'allontanava con gli altri. – Avrai una buona balia.

Marco era indignato al punto da non riuscire a sputare parola. Diede un'ultima occhiata all'equipaggio dell'astronave e ai due capitani, che gli avevano voltato le spalle, si girò a riguardare il cavallo spaziale, ma fu solo per vedergli sul muso la stessa espressione chiusa e sorniona del suo deprecato cavallo a dondolo. Infine tornò a rivolgersi al ragazzino, ricevendone in cambio un premuroso sorriso.

Un bizzarro calendario.

– Come ti chiami? – gli domandò.

– Marcus.

– Guarda guarda!

– In tuo onore, sai? Fino a ieri mi chiamavo Julius. Sono stato incaricato di riceverti e di farti compagnia. Sono contento che sia toccato a me. E sono contentissimo di fare la tua conoscenza.

– NON SO COSA FARCI,
RISPOSE PETRUS

– E io, – sbottò finalmente Marco, – sono cosí contento che ti spaccherei il muso. Roba da matti: ti fanno prigioniero, non si degnano di darti una spiegazione, ti lasciano con l'asilo infantile e buonanotte. Ma io spacco davvero qualcosa, io faccio un macello!

Il viso di Marcus s'illuminò, come se avesse ricevuto proprio in quel momento una bella notizia.

– So quello che ti ci vuole, – disse. – Vieni con me.

Marcus s'incamminò senza voltarsi, e Marco gli tenne dietro: stare o andare, per lui era ormai esattamente la stessa cosa. Percorsero la lunga pista, facendosi largo tra una folla di gente in pigiama e in pantofole. Avevano tutti l'aria di passeggiare sul terrazzo di casa per godersi il sole. La stazione era un edificio basso e lungo: era il primo che Marco vedeva sul nuovo pianeta, e chissà cosa s'aspettava di vedere. Si trattava invece di un fabbricato comunissimo, di mattoni e di vetro. Unica bizzarria, certi vasetti alle finestre, come quelli che noi sulla Terra teniamo per coltivarci gerani e altri fiori di cui non riusciamo mai a ricordare il nome: in quei vasetti, però, erano piantati tanti minuscoli alberi di Natale.

No, non dei semplici abeti: proprio degli alberi di Natale, ornati di festoni e neve finta, di stelle d'argento e di lampadine di tutti i colori. «Ieri è stato il mio compleanno: dunque era il 23 ottobre, – riflettè Marco meravigliato. – Possibile che quassú facciano i preparativi per Natale con tanto anticipo?»

Fuori della stazione interplanetaria cominciava la città. Cominciava come cominciano tutte le città: con case, strade, una piazza. Case alte, case basse. Piú basse che alte, e forse piú giardini che case, ma insomma niente di straordinario, se non fosse stato – di nuovo! – per quei segni natalizi fuori stagione.

Ai lati di un viale che correva verso il centro della città, crescevano due interminabili file di abeti, e sui loro rami s'intrecciavano festoni e ghirlande d'argento, e brillavano stelle e lampadine, e palloncini lucenti, rossi, gialli, blu. Insomma, erano addobbati come alberi di Natale, né piú né meno.

– Scusa, – domandò Marco. – Ma che giorno è oggi?

– È Natale, – rispose Marcus allegramente.

«Che stupido, – pensò Marco, – dimenticavo che su questo pianeta il calendario della Terra non conta. Laggiú è il 24 ottobre, qui sarà il 25 dicembre».

Marcus intanto si era accostato a quello che si sarebbe detto un deposito di piccoli cavalli a dondolo: ne scelse uno, con una sella a due posti e invitò Marco a montarvi in groppa.

– Non facciamo altri scherzi, – ammoní il discendente degli antichi romani, che con i cavalli a dondolo aveva ormai un fatto personale.

– Ma cosa dici? Questi sono i nostri «robot», e servono per i trasporti pubblici.

– Qualcosa come dei taxi, – borbottò Marco. – Ma il tassinaro dov'è? Insomma, a chi si paga la corsa?

Marcus spalancò gli occhi meravigliati, sempre sorridendo:

– Ma cosa vuoi pagare? I «robot» sono di tutti. Chi ne ha bisogno se ne serve e basta.

Il cavallo a dondolo partí senza scosse e senza rumore, oscillando dolcemente nell'aria tiepida e carezzevole. Fu a questo punto che Marco notò una cosa che avrebbe dovuto sorprenderlo da un pezzo: ma come, egli stava in pigiama, il giorno di Natale, all'aria aperta, e non gli gelavano via le dita di colpo? Le sue modeste nozioni di geografia gli vennero in aiuto, ricordandogli che anche sulla Terra ci sono paesi dove il giorno di Natale fa caldo come in Italia a giugno. Tuttavia un dubbio gli rimase dentro per un bel pezzo, finché altre immagini glielo fecero dimenticare.

– Le botteghe sono aperte, – osservò.

– Sono sempre aperte, – rispose Marcus.

– Ma se è Natale!

Marcus non gli rispose.

«Questo pianeta mi fa una rabbia da non credere, – borbottava mentalmente Marco. – Cavalli a dondolo per taxi e botteghe aperte il giorno di Natale. Chi ci capisce qualcosa è bravo».

Le case, lungo il viale, erano pulite e festose. Non un terrazzo, non una finestrella mancava del suo bell'albero di Natale, fiorito di bizzarri ornamenti. Il Comune, se era stato il Comune a pensarci, aveva fatto un bel lavoro: una città piú natalizia di cosí si sarebbe dovuta disegnare apposta. Pareva la réclame del panettone. Però era strano vedere tutta quella gente che entrava e usciva dai negozi. Era poi proprio il giorno di Natale, o solo la vigilia o, mettiamo, il 27 dicembre? Si sa che gli addobbi di Natale si preparano un po' prima e si lasciano almeno fino alla Befana, perché aiutano il commercio.

– Marcus! – chiamò per fare una prova.

– Dimmi.

– Ieri, che giorno era?

– Natale, – rispose Marcus senza esitare.

«Ecco, – si disse Marco trionfando, – avevo indovinato. Le botteghe sono aperte, non può essere Natale: Natale è stato ieri. Ma facciamo pure un'altra prova».

– Marcus, che giorno sarà domani?

– Natale, Marco. Te l'ho già detto.

Un momento di silenzio.

– Ma se Natale era ieri!...

– Ieri, oggi, domani, tutti i giorni. È Natale tutti i giorni, da noi.

– Siii... – gridò Marco al colmo dell'esasperazione. – E io sono un tram, e mio nonno è un baco da seta... Qui non fate che prendermi in giro. Prima t'ho detto che avevo voglia di romperti il muso, ma forse lo farò davvero.
– Ti ci sto portando, abbi solo un poco di pazienza.
– Ma dove mi stai portando?
– A fare un macello.

A spaccare tutto.

Marco non seppe piú cosa ribattere. Del resto erano arrivati. Circa a metà del viale, in una larga piazza rallegrata da altissimi alberi di Natale, sorgeva un imponente edificio. Sulla facciata, a lettere di scatola, Marco lesse: «Gran bazar Spaccatutto». E sopra il portone: «Entrata libera a tutte le ore del giorno e della notte».

– Sei fortunato, – spiegò Marcus. – Il palazzo è stato ricostruito due giorni fa e la gente ha appena ricominciato a romperlo. Se arrivavi tra una settimana, trovavi solo i cocci.

Abbandonarono il cavallo a dondolo presso il marciapiede dove ce n'era già una lunga fila, ed entrarono nel palazzo.

Stando alle spiegazioni di Marcus, l'idea di costruirlo era venuta nel secolo precedente a un famoso astrobotanico. Quel luminare della scienza, che sapeva descrivere alla perfezione la flora dei piú lontani pianeti senza essersi mai mosso di casa, era anche un padre di famiglia intelligente. Una volta, avendo notato che i suoi bambini manifestavano un'invincibile tendenza a fracassare tutto ciò su cui riuscivano ad allungare le mani, l'astrobotanico regalò loro, al posto dei soliti giocattoli, svariate centinaia di piatti e scodelle di poco prezzo.

I bambini erano due. A rompere scientificamente quella montagna di stoviglie, a sbriciolarla finché l'ultimo pezzettino poté essere scambiato per un ritaglio d'unghia, i marmocchi impiegarono quasi cinque giorni, lavorando a quattro mani e quattro piedi dall'alba al tramonto. Al termine dell'operazione essi avevano perso completamente il gusto di rompere qualsiasi cosa, né piú lo riacquistarono in seguito. Il padre descrisse l'esperimento nei giornali, dimostrando, cifre alla mano, che col sacrificio di una modesta partita di piatti aveva realizzato un considerevole risparmio, da calcolare sul bilancio degli anni successivi, per mancata rottura di casalinghi, giocattoli, mobili, mezzi di trasporto, pavimenti, vetri, ecc. ecc.

«Perché, – egli si domandava, – non applichiamo il sistema su vasta scala? E siamo poi sicuri che soltanto i bambini provino ogni tanto il bisogno irresistibile di fracassare qualcosa? Noi grandi siamo forse cittadini di seconda classe, per non avere il diritto di esercitare liberamente i nostri muscoli, adesso che il carbone, la legna, le pietre e gli atomi ce li spaccano le macchine? Eccetera, eccetera».

L'articolo era molto lungo e convincente. Quindici giorni dopo il Gran bazar Spaccatutto era cosa fatta (e da disfare). Un edificio a piú piani, zeppo di mobili, e i mobili zeppi di stoviglie e vasellame, e le stoviglie piú grosse colme di stoviglie piú piccoline. Tutto da sfasciare e da stritolare: piatti, bicchieri, tappeti, mobili, porte, finestre. Da demolire anche il tetto, le tegole e i muri, a cominciare dall'ultimo piano.

I bambini venivano accompagnati dai maestri, a giorni fissi, e invitati a distruggere quel che volevano. Naturalmente non si facevano pregare. I cittadini adulti ricorrevano al Gran bazar Spaccatutto solo quando erano assaliti dal cattivo umore, dalla malinconia e dalla voglia di litigare. Ad essi, ovviamente, erano riservate le parti piú robuste: il tetto, i muri e, se volevano, anche le fondamenta. Per scardinare le fondamenta faticavano peggio degli schiavi d'Egitto alla costruzione delle piramidi; ma alla fine, quando la stanchezza e il fiatone li costringevano ad abbandonare l'impresa, avevano ritrovato la loro allegria e, per un decennio almeno, non provavano il bisogno di litigare con nessuno, o di gettare un portacenere per terra durante una discussione familiare.

Gli economisti, cifre alla mano (i calcoli però erano stati eseguiti dalle calcolatrici elettroniche), potevano dimostrare che l'abbattimento totale del Palazzo da rompere, permetteva di risparmiare un valore cento volte superiore in oggetti domestici e materiale edilizio. E migliorava del 28,51 per cento il livello del buonumore cittadino. In conclusione, erano soldi ben impiegati.

Dopo aver capito di che si trattava, Marco si mise al lavoro. Aveva una buona scorta di rabbia da sfogare e, benché non avesse dormito, si sentiva in forma. Si dedicò alla distruzione di un grosso armadio, per operare la quale si serví di un'ascia, di un martello e di una pompa da bicicletta: tutto serve quando si ha un lavoro appassionante da portare a termine.

Intorno a lui i vasti saloni echeggiavano di risate e di colpi: almeno cinquecento bambini, sotto la sorveglianza dei maestri e dei genitori, stavano demolendo pezzo per pezzo l'arredamento del palazzo.

In un paio d'ore Marco demolí, oltre all'armadio, un salotto e tre camere da letto. Quando uscirono dal Gran bazar, si sentiva quasi in pace con se stesso e con Marcus.

Le panchine mobili.

Fuori, regnava un silenzio riposante. Marco, tendendo le orecchie, non riusciva a cogliere che suoni discreti e gentili. Voci di gente che parlava con vivacità ma con dolcezza in-

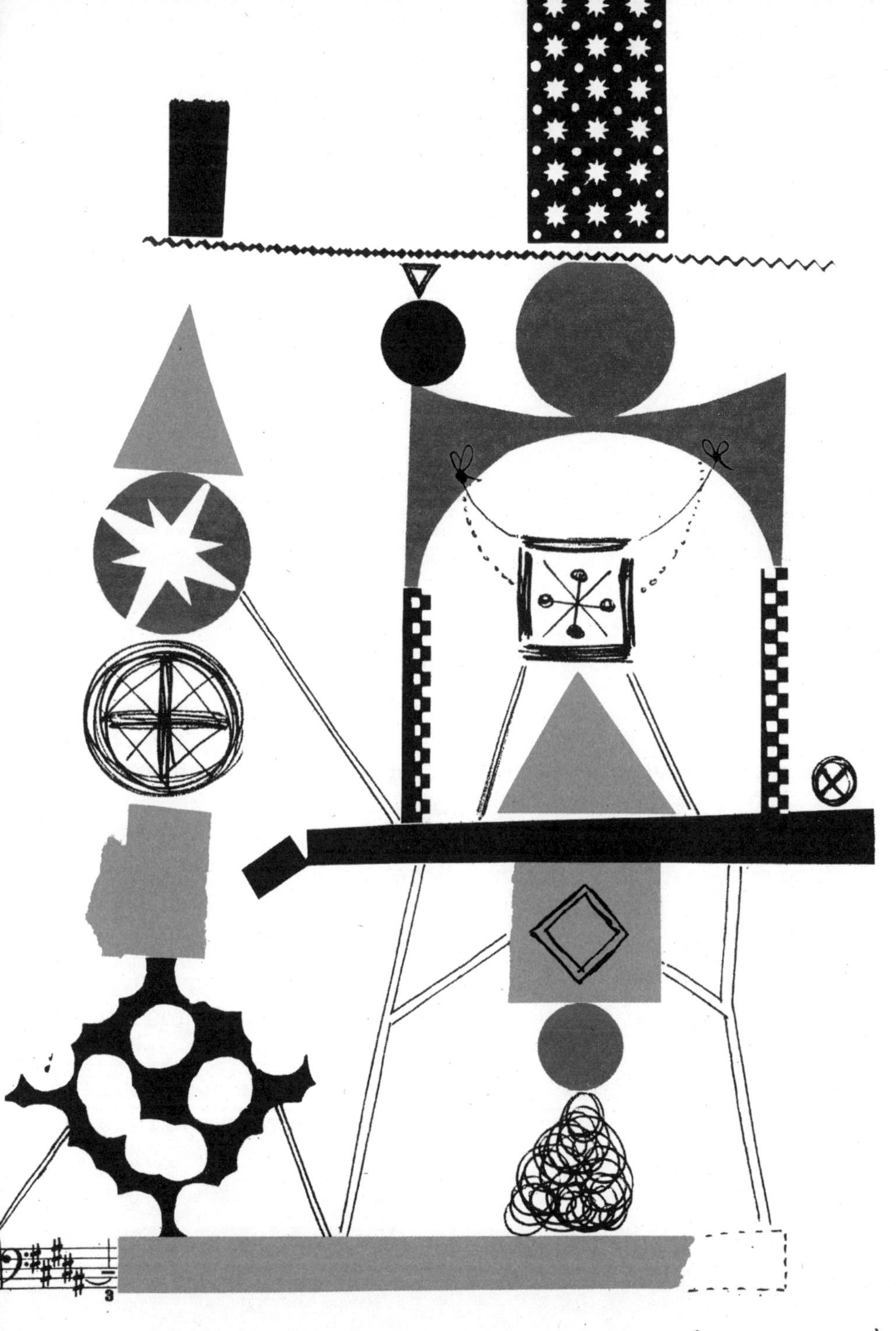

GRAN BAZAR SPACCATUTTO (particolare)

sieme. I cavalli a dondolo del servizio pubblico scivolavano via senza rumore, come barche sull'acqua.

Scivolavano via senza muovere le gambe anche i pedoni: in molti punti della città, infatti, i marciapiedi erano mobili; bastava salirci e si veniva trasportati senza scosse da un quartiere all'altro. Sui marciapiedi mobili non mancavano le panchine: vi sedevano i pedoni che avevano da fare molta strada; o certi vecchi vecchietti per i quali, anche su quel bizzarro pianeta, le panchine dovevano rappresentare il passatempo preferito.

«Ah! – pensò Marco, con un improvviso slancio. – Se una panchina cosí, mobile, e gratis per giunta, ce l'avesse il mio nonno, che passa le giornate su quelle stupide panchine della Terra, sempre ferme allo stesso posto! Che delizia sarebbe per i pensionati di Roma farsi scarrozzare in panchina tutto il giorno dal Colosseo al Gianicolo, dai boschi dell'EUR a Monte Mario! Per esempio: se ci fosse un bel marciapiede mobile in piazza del Pantheon, che giorno e notte con le sue panchine girasse intorno alla "rotonda" e ai suoi gatti, ho idea che il nonno ci andrebbe a stare di casa. Povero nonno! Chissà cosa farà, adesso».

Questo pensiero però gli ricordò che per colpa del nonno e del suo cavallo a dondolo si trovava solo e sperduto chissà in quale punto della Via Lattea, e magari anche piú lontano; lontanissimo dal Testaccio e dai suoi amici piú cari. La rabbia, che gli era quasi sbollita, tornò a ribollirgli in petto.

– Ho fame, – disse, interrompendo sgarbatamente le spiegazioni di Marcus.

– Benone. Ho fame anch'io. Ti porto subito al ristorante.

Montarono su un marciapiede mobile e sfilarono silenziosamente davanti ai negozi affollati di gente che andava e veniva. La gente, a proposito, era tutta e sempre in pigiama. Pareva che lassú non usassero altri vestiti.

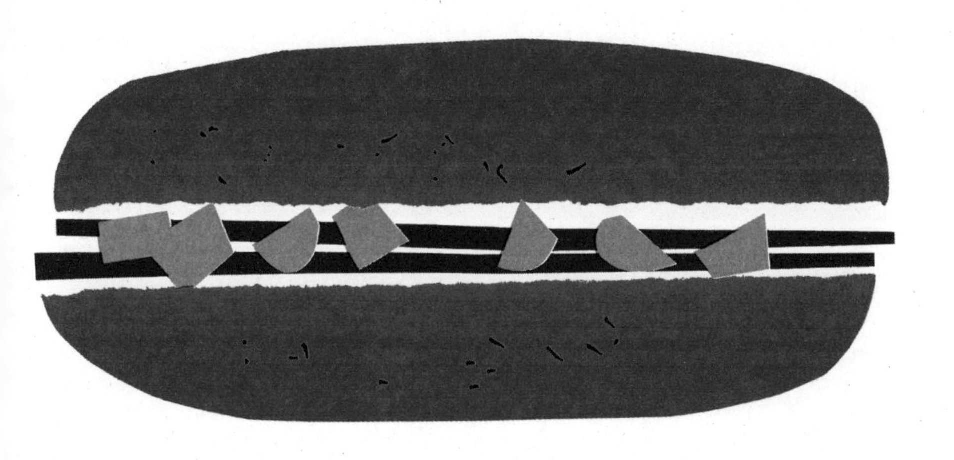

HO FAME, DISSE MARCO

«È vero che il pigiama è comodo, e che le pantofole sono piú comode delle scarpe; ma andarsene in giro tutto il giorno in questo stato, mi sembra una sconvenienza bell'e buona. D'altra parte non sono affari miei: vadano un po' in giro anche in maschera! Che cosa me ne importa? Mica devo stare qui per un pezzo!»

Marco si sforzava sempre di pensare pensieri antipatici nei confronti dello strano pianeta in cui era capitato, ma non sempre ci riusciva come avrebbe voluto. Doveva ammettere che i taxi gratis e i marciapiedi mobili erano belle invenzioni. Tutti quegli alberi di Natale gli mettevano nel sangue, suo malgrado, una certa allegria. E infine l'aria era tiepida, dolce, perfino profumata.

«Pare primavera, e pare di stare in un bel giardino».

Invece il marciapiede correva tra due pareti di case e di vetrine festosamente addobbate.

Al libero furto.

A un certo punto Marco si accorse di un'altra stranezza: le vetrine non avevano vetri. Forse perché il clima era tanto dolce? Ma non era pericoloso, non era un incoraggiamento ai ladri? Quasi a dargli ragione, ecco un signore che, mentre il marciapiede mobile passava accanto alla vetrina di un fruttivendolo, allungò la mano, afferrò un bel grappolo d'uva e cominciò tranquillamente a portarsene in bocca gli acini ad uno ad uno. Intorno a lui nessuno mostrò d'accorgersene.

Subito dopo un dignitoso vecchietto si levò dalla sua panchina e s'avvicinò all'orlo del marciapiede, come se si preparasse a scendere. Ma non scese affatto. Guardava davanti a sé, attentamente, come aspettando qualcosa o qualcuno; e quando il marciapiede passò accanto a un'edicola di giornali, egli allungò una mano, rapí al volo dal banco una grossa rivista illustrata, ne controllò la data per essere sicuro di non sbagliare, tornò ad accomodarsi sulla sua panchina, inforcò gli occhiali e si mise beatamente a leggere.

«Bravissimo, – rifletté Marco, sempre piú indignato. – Ha anche guardato la data, per non sbagliarsi col numero della settimana scorsa! Ma sono capitato in un paese di ladri? Anche Marcus l'ha visto e non dice niente».

Prima che arrivassero al ristorante, successe anche di peggio: lo stesso vecchietto della rivista s'alzò di nuovo (ma che personaggio inquieto!), s'avvicinò a Marcus e sorridendo lo pregò di un favore:

– Giovanotto, lei mi ha l'aria sveltina. Ho bisogno di un sigaro, ma ho paura di non riuscire ad acchiapparlo senza scendere dal marciapiede. Me lo prenderebbe lei al prossimo tabaccaio? Ha proprio una bellissima esposizione di sigari in vetrina: l'ho visto ieri passando.

– Con piacere, – rispose Marcus.

Intorno a loro piú di un passante sorrise.

– Stia attento, – intervenne il signore del grappolo d'uva. – Lo scelga né troppo scuro né troppo chiaro.

– Grazie del consiglio, – disse Marcus. – Ha fatto bene a dirmelo, perché di sigari me ne intendo poco.

E in cosí dire si voltò, perché la vetrina del tabaccaio era a pochi passi. Si sporse dal marciapiede e afferrò, non uno, ma due sigari.

– Oh, troppo gentile! – protestò il vecchietto.

– Cosí potrà scegliere, – si scusò Marcus.

– Ad ogni modo grazie, – concluse il vecchio.

Scelse il sigaro migliore, s'infilò l'altro nel taschino e tornò alla panchina dove, per conservare il posto, aveva lasciato la rivista rubata.

Marco trattenne il fiato. Se era capitato in mezzo a una

SCELSE IL SIGARO MIGLIORE

banda di ladri, per il momento era meglio starsene quieto e far finta di nulla.

«A parlare, – pensò, – si è sempre in tempo».

– Siamo arrivati, – annunciò Marcus in quel punto.

Smontarono dal marciapiede ed entrarono nel ristorante.

A tutta prima Marco non ci vide niente di diverso da una comune trattoria romana: c'erano perfino i fiori sulle tovaglie bianche. Cartelli alle pareti invitavano gli avventori a gustare le specialità del locale.

La parola «pagare».

«*Oggi tristecca ai ferri corti*».
«*Provate il do di petto di tacchino*».
«*Rubinetti fritti (caldi e freddi)*».

A parere di Marco non erano nomi adatti a stuzzicare l'appetito. Ma ne trovò anche di peggio nella lista dei cibi, che occupava un intero volume spesso e pesante quanto un elenco telefonico. Calcolando trecento piatti per pagina, dovevano essere registrati, là dentro, almeno trecentomila piatti diversi. In fondo al volume c'erano anche fogli in bianco, su cui i clienti erano invitati a suggerire ricette di loro invenzione.

«*Prendete due colli di bottiglia,* – aveva scritto un tale che si firmava Pippus, – *uno buttatelo via subito; il secondo mettetelo a bagno penale e lasciatecelo tre giorni, aggiungendo ogni tre ore mezz'etto di segatura ben rosolata, corna di lumache, forchette lessate, un biscotto, un triscotto e un cruscotto. Secondo i gusti, potete cospargere il tutto di polvere di gesso, di ghiaietto di montagna o di chiodi a tre punte. Servite con contorno di gomme di triciclo tritate in minutissimi pezzettini. Il piatto è ottimo se convenientemente innaffiato d'inchiostro verde stilografico*».

Marco pensò che il piatto sarebbe stato ottimo solo se il cuoco lo avesse gettato nel bidone della spazzatura, ma non batté ciglio per non fare la figura del provinciale che va per la prima volta in città e si meraviglia di tutto.

Continuò a sfogliare la lista, registrando mentalmente i cibi piú interessanti:

«*Piedi di porco con grimaldelli in salsa di saliscendi*».
«*Gambe di tavolino zoppo*».
«*Lamiere di zinco alla zingara*».
«*Zuppa di mattoni traforati ripieni*».

– Di che cosa saranno ripieni? – domandò Marco al suo sorridente accompagnatore. – Non vorrei che ci avessero messo ricci di castagne o valvole della radio. Specie queste ultime non le posso soffrire.

Marcus non si scompose.

– I mattoni ripieni sono ottimi, – disse. – Ma capisco perfettamente che il nostro «menu» non ti convinca troppo. Il fatto è che ci siamo abituati a mangiare di tutto: mangiamo il ferro, il carbone, il cemento, il vetro, il legno; digeriamo chiodi, martelli, tenaglie, e non ci restano sullo stomaco nemmeno i cavi telefonici. Tutto è commestibile sul nostro pianeta.

– Mi meraviglio che le città restino in piedi, allora. Com'è che non vi mangiate le case con tutte le porte e le finestre?

– Già, e dopo ci toccherebbe dormire nei piatti e nelle pentole, o ricevere gli amici in una scodella!

Marcus aggiunse:

– Hai fame ancora, dopo questa lettura?

– Piú di prima. Anzi, ti dirò: la settimana scorsa mia madre m'ha portato dal medico della mutua, che mi ha trovato un po' gracile e mi ha ordinato una cura di ferro. Dopo di che, mi è toccato di sorbire uno sciroppo che avrebbe fatto venire il voltastomaco a un topo durante l'assedio di Gerusalemme dove ci fu, come saprai, una grande carestia. Visto che qui il ferro è commestibile, me ne farò una bella bistecca.

Il cameriere s'avvicinò. Era un robot con sei paia di braccia infilate in altrettante maniche della giacchetta bianca. Su ogni braccio aveva una salvietta. In tutto, dodici salviette. Ascoltò attentamente le ordinazioni e corse via, per tornare poco dopo con le braccia cariche di piatti.

La bistecca di ferro ai ferri era tenera e profumata come un budino. Marco ripulí il piatto in pochi secondi.

– Avresti dovuto ordinare una quadristecca, – osservò Marcus, che sorbiva golosamente un semplicissimo «*caffè e latta con marmellatta di pesche*» (una marmellata, per capirci, fatta con barattoli di latta che una volta avevano contenuto pesche sciroppate).

Marco volle assaggiare anche la zuppa di mattoni, e constatò che il ripieno era stato preparato con refil di penne biro e cenere di tabacco.

Dopo che ebbero bevuto il bicchierino di liquore offerto dal robot (Marco gli trovava un sapore di arancio, ma Marcus gli spiegò che era una mistura d'acqua piovana e di un vecchio olio per automobili conservato in speciali fusti di legno ricavati dalle traversine ferroviarie) i due ragazzi s'alzarono per uscire.

– E il conto chi lo paga? – domandò Marco sulla porta.

– Pagare? – chiese di rimando Marcus. – Di nuovo questa parola. Qui non si usa, sai?

– Oh, me n'ero già accorto quando hai preso i sigari per quel vecchietto, – sogghignò il nostro sereniano. – Si va al ristorante, ci si pulisce la bocca col tovagliolo, e il robot...

– Grazie. Tornate presto, – disse proprio in quel momento il robot, con un inchino piú profondo degli altri.
– Ti verremo a trovare ogni volta che passeremo, – annuí cortesemente Marcus, stringendogli ad una ad una le sue dodici mani.
– Non fatemi torto, – disse ancora il robot. – Comincia ad esserci troppa concorrenza. Vedete? Il locale è quasi vuoto.
– Verremo senz'altro stasera, – gli promise Marcus, quasi per consolarlo.

Un temporale alla menta.

Questa volta non salirono sul marciapiede mobile: preferirono fare due passi per certe stradine secondarie, poco affollate ma ugualmente festose, con centinaia di alberi di Natale grandi e piccoli piantati perfino sui tetti. A Marco sembrava ormai di passeggiare tra i rami di un unico, immenso albero di Natale: urtava spesso col capo in un campanellino d'argento o in uno di quegli oggetti senza capo né coda che si trovavano solo sugli alberi di Natale; oggetti senza senso e senz'altro scopo che quello di mettere allegria in una casa.
– Il Comune avrà speso un occhio per tutti questi addobbi, – disse ad un certo punto.
– Il Comune non ha speso un soldo. Del resto noi non abbiamo soldi. Questi alberi crescono da soli, crescono cosí. Guarda.
Osservando con piú attenzione, Marco scoprí che lampadine, campanelli, palloncini, eccetera, spuntavano direttamente dai rami come frutti, ciascuno col suo bravo picciuolo.
– E fioriscono per Natale? – domandò.
– Sono sempre fioriti. Ogni giorno è Natale, te l'ho già detto.

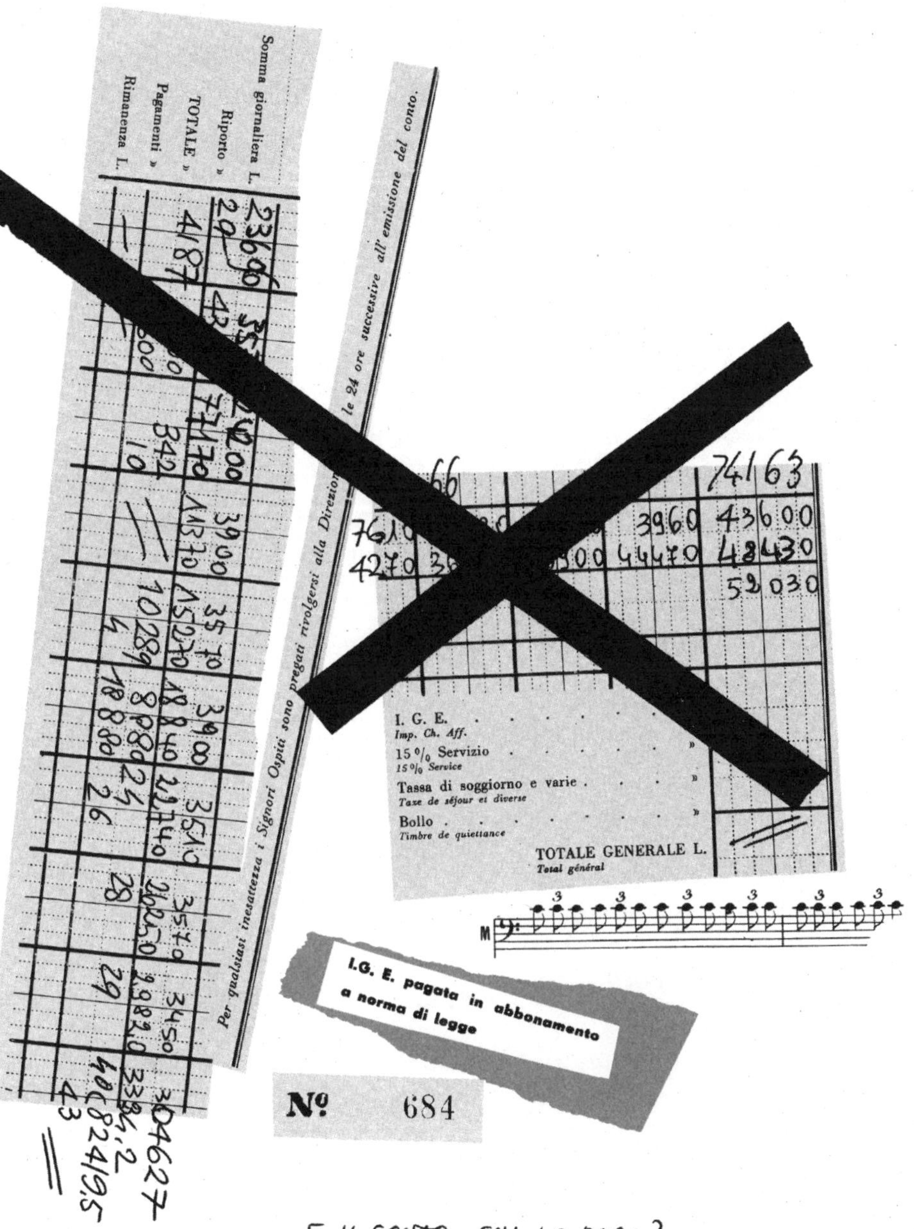

– E IL CONTO CHI LO PAGA?

– Ma allora, il vostro pianeta è proprio il pianeta degli alberi di Natale, – concluse Marco. E si stupí di provare una certa invidia, a nome della sua vecchia Terra, dove alberi come quelli, a memoria d'uomo, non erano fioriti mai; dove i mattoni non erano commestibili e dove in trattoria, il sabato sera, a mangiarci le provviste portate da casa nel fagotto, bisognava pagare anche la carta che l'oste stendeva sui tavoli.

«Da che parte sarà la Terra? Laggiú? Lassú?»

L'aria era sempre piú dolce e tiepida, percorsa da ondate di delicati profumi.

– Siete ben fortunati, – disse Marco. – Non solo qui è sempre Natale, ma pare anche che sia sempre primavera.

Marcus si chinò, raccolse della polvere sulla punta delle dita e invitò il suo compagno a odorarla. La polvere profumava di mughetto.

– Ma è cipria! – esclamò Marco.

Una nuvola rossastra, intanto, aveva occupato in pochi secondi buona parte del cielo.

– Però, – disse Marco, quasi rallegrandosi, – vuoi vedere che anche in questo paese di cuccagna può scoppiare un temporale?

Invece, quando la nuvola si ruppe, ne caddero a scrosci miliardi di coriandoli colorati. Il vento che li sospingeva qua e là, formando gorghi e mulinelli, odorava di anice, di ratafià, di mandarino.

– Adesso poi respiriamo addirittura caramelle in polvere, – osservò Marco.

– Proprio cosí, – confermò Marcus. – Le macchine che muovono l'aria e formano le nuvole provvedono anche a profumarle. Un giorno, se ne avrai voglia, ti porterò a visitare le centrali del Bel Tempo.

I coriandoli si posavano dolcemente sul loro capo e sui

MA È CIPRIA - ESCLAMÒ MARCO

loro vestiti. Marcus se ne mise in bocca un paio e Marco lo imitò, ricordandosi che tutto, lassú, era commestibile. Erano confetti di menta, né piú né meno.

Bastava aprire la bocca perché essi ci entrassero da soli: si posavano sulla lingua e subito si scioglievano in delicati sapori. La nuvola passò in fretta; per terra rimase un leggero strato di coriandoli e nell'aria un profumo piú intenso. Anche sui rami degli alberi di Natale i coriandoli si erano posati a centinaia; venivano uccelli a beccarli, pigolando festosamente.

La scena era un tantino troppo dolce per i gusti di Marco: finiva perfino per essere disgustosa.

– È un paese per bambole, questo, – gli scappò detto. – Tra poco mi sembrerà di camminare sui vetri e di aver paura di romperli.

E fra sé decise che, quando fosse stato sul punto di commuoversi, avrebbe fatto una visitina al Gran bazar Spaccatutto e si sarebbe sfogato a fracassare qualche armadio.

«È proibito legarsela al dito».

Erano sbucati in una piazzetta circondata da alti muri bianchissimi. Bianchissimi per modo di dire, perché qua e là, a diverse altezze, spiccavano su quel candore bizzarri scarabocchi o lunghe scritte tracciate con gessi colorati. In un angolo della piazza un vecchietto stava scrivendo sul muro, con un gesso verde. Una mezza dozzina di curiosi gli davano, di quando in quando, qualche suggerimento.

A pochi metri dal gruppetto una ragazza scriveva a sua volta qualcosa che doveva essere una lettera, perché cominciava con un «Caro» grosso cosí.

Anche Marco e Marcus si accostarono al vecchietto e lessero quel che aveva scritto.

«È severamente proibito
legarsela al dito.
Chi ha la coda di paglia
è pregato di tagliarsela.
Felicità a chi legge».

– Sta facendo, – spiegò Marcus, – dei cartelli. Tutti possono farne. Una volta le città erano piene di cartelli d'altro genere: vietato questo, vietato quest'altro... Adesso non si sa piú che cosa vietare, perché la gente, sai, non fa niente di male, soprattutto quando niente è proibito. Chi vuole un cartello se lo scrive da solo e ci mette quel che gli pare. Questi muri sono fatti apposta per scriverci e disegnarci. Quando sono pieni pieni e non c'è posto per altro, gli si dà una mano di bianco.

In quel momento risuonò un applauso. Molti si affrettarono a stringere la mano al vecchietto e a congratularsi con lui per il suo ultimo cartello, che diceva:

«Mancia competente
a chi mi dice quanto fa
un gatto piú un sergente».

Disgustato, Marco rivolse la sua attenzione alla ragazza che scriveva la sua lettera col gesso blu.

«Caro passante, se hai la malinconia, pensa a me che proprio oggi mi sono innamorata del dottor Filibertus e sono felice anche per te. Firmato: Melania, laureata in matematica e chimica».

– Una professoressa che scrive sui muri, – sogghignò Marco. – Mi domando cosa faranno i suoi scolari.

E senza pensarci due volte, afferrò un bastoncino di gesso nero e scrisse:

«Ai Capi di questo Pianeta: belle cose, bravi, a Roma. Vi darebbero la mula. E quanno me fate annà a cassa mia? Marco,».

Scoppiò una risata come uno scroscio di pioggia, e Marco si accorse che la folla aveva abbandonato il vecchietto per divertirsi alle sue spalle.

– Ma di cosa ridono?

– È per la virgola, – disse pietosamente Marcus. – Hai messo la virgola dopo la firma. La poveretta non riuscirà certo a sopravvivere.

– E voi fatele il funerale, – borbottò Marco avviandosi.

Il trionfo di Etelredus.

Capitarono in un assembramento insolitamente rumoroso. Una banda musicale sostava all'incrocio di quattro strade; i suonatori avevano gli strumenti al collo e conversavano tra loro, in attesa, forse, di un segnale del maestro. Marco, però, notò che il centro dell'attenzione generale non era la banda, ma un'urna di vetro, davanti alla quale passavano numerosi cittadini, e ciascuno gettava nell'urna un bigliettino.

– Ho capito, – disse, – stanno votando.

Marcus sorrise, ma non fece commenti. Un bambino bendato venne accompagnato vicino all'urna, scelse un biglietto e lo porse ai suoi accompagnatori. Si fece un gran silenzio, nel quale una voce scandí un nome:

– *Etelredus Arifreddus Bollatus!*

Scoppiò un grande «evviva». La banda intonò una vispa

marcetta e un omone rosso in volto per la soddisfazione, si fece avanti, stringendo mani a destra e a sinistra. Un robot-operaio estrasse una targa di marmo da un sacco, vi scrisse sopra qualcosa, montò su una scaletta e fissò la targa al muro.

«*Corso Etelredus Arifreddus Bollatus*», poté leggere Marco.

Vicino a lui un vecchietto non faceva nulla per nascondere la sua delusione.

– Sono sette settimane che concorro per questo corso e non m'è ancora andata bene. Sarà meglio che torni al vicolo numero 45: là il mio nome è in ritardo di centoquattro settimane, una volta o l'altra dovrà pure uscire.

Cosí Marco apprese che sul Pianeta degli alberi di Natale i nomi delle strade, dei vicoli e delle piazze venivano estratti a sorte tra i cittadini. L'estrazione si faceva tutte le settimane, per accontentare il maggior numero di persone possibile.

Naturalmente chi non ci teneva non era affatto obbligato a concorrere. E chi concorreva, lo faceva piú per gioco che per ambizione. Sulla Terra, secondo Marco, avrebbero giocato al lotto o al totocalcio. E almeno avrebbero potuto sperare di vincere una bella sommetta.

Un calcio sprecato.

Cercò di spiegare la differenza a Marcus, ma si confuse e non riuscí a farsi capire.

– Una sommetta? – domandava Marcus. – E che cos'è? Cosa se ne fanno?

Marco sbuffò.

– Basta, – decise. – Certe volte mi sembrate proprio dei deficienti, voialtri.

E per sfogare l'irritazione diede un calcio a un barattolo. Ma non ne cavò niente di buono: il barattolo era di gomma. Il Comune ne metteva in circolazione un certo numero, come Marcus gli spiegò con grande pazienza, per accontentare i bambini che desideravano dare di quando in quando un buon calcio a un barattolo, mentre andavano a scuola o ne tornavano. Essendo di gomma, non facevano danno né ai piedi né alle scarpe.

Scendeva la sera e gli alberi di Natale si erano illuminati di milioni di lampadine colorate.

– Le vetrine restano aperte anche la notte? – domandò Marco.

– Ma sí, perché dovrebbero chiuderle? Se ti accorgi improvvisamente che hai bisogno di un paio di scarpe, o di una macchina da scrivere, o di un frigorifero, come fai?

«Se rubano di giorno, – pensò Marco, – figuriamoci di notte». Ma tenne per sé la sua riflessione.

Era stanco ed aveva piú sonno che voglia di discutere. Il nonno, il cavallo a dondolo, il viaggio, le stranezze del Pianeta degli alberi di Natale, tutto ciò che aveva visto e provato quel giorno gli vorticava in testa come una giostra troppo veloce. Si lasciò guidare da Marcus su un marciapiede mobile, si accoccolò su una panchina e vi si addormentò prima ancora di aver chiuso gli occhi.

Risveglio.

Al risveglio si trovò tutto solo, seduto su un letto, in una grande stanza illuminata, con le orecchie che gli rintronavano fastidiosamente.

– Di nuovo gli Arcicani, – sbuffò. Ma non riuscí ad udire il suono della propria voce, e un furibondo abbaiare lo avvertí che uno degli incursori si doveva essere posato proprio sul tetto.

A proposito, però, su quale tetto? Marco non aveva la minima idea di dove poteva trovarsi. Il suo vecchio pigiama

DI NUOVO GLI ARCICANI

rosso era posato sulla spalliera di una sedia. Si guardò un braccio e notò che indossava un pigiama azzurro. Qualcuno lo aveva portato in quella stanza, lo aveva spogliato, lo aveva messo a letto, e lui non se n'era nemmeno accorto. La cosa non gli fece meraviglia: piú di una volta, aprendo gli occhi, aveva visto il sole entrare nella sua stanza, al quinto piano di una casa popolare al Testaccio, mentre appena un momento prima, – cosí almeno pareva a lui, – stava giocando a carte col nonno sul tavolo di cucina.

Il letto era soffice. La stanza, pulita ed elegante. Sul tavolino da notte c'era un telefono. Marco allungò una mano e carezzò distrattamente la cornetta. Peccato non conoscere nessuno a cui telefonare!

Gli Arcicani passavano e ripassavano sul tetto, abbaiando forsennatamente. Non c'era da pensare a riprendere sonno finché durava l'incursione.

– Ma chi glielo fa fare di non abbattere queste bestiacce con i caccia o con l'antiaerea, – borbottò fra sé Marco, mentre infilava le pantofole.

Aprí la porta e si trovò in un'altra stanza simile alla prima: c'era anche un letto disfatto. Poteva averci dormito Marcus, ma di lui non c'era traccia.

– Marcus! – chiamò, affacciandosi sul corridoio.

A quel piano della casa non c'erano che le due stanze. Una scaletta di legno portava in una sala che sembrava occupare tutto il pianterreno.

– Marcus! – chiamò ancora Marco.

Stavolta poté udire la propria voce, ma nessuno rispose.

Un robot può sferruzzare?

Scese nella sala, si aggirò svogliato fra poltrone e divani, prese una mela da una fruttiera e se la portò alla bocca.

Incastrato nel muro c'era uno schermo bianco. In un angolo, in basso, un bottoncino nero che aveva tutta l'aria di un comando. Marco lo premette e subito lo schermo s'illuminò. Apparvero le sagome mostruose degli Arcicani, che passavano a frotte nel cielo della città.

– Ormai se ne stanno andando, – disse qualcuno nella sala.

Marco si voltò di scatto. Un robot avvolto in una vestaglia gialla lo guardava sorridendo con occhi fosforescenti, mentre con le mani faceva qualcosa che Marco, se si fosse trattato di sua nonna invece che di un robot, avrebbe definito col verbo «sferruzzare».

– Un passamontagna isolante, – spiegò bonariamente il robot che aveva notato la direzione degli sguardi di Marco. – Cosí se ci saranno nuove incursioni non sentirò il fracasso. Ma spero che non ce ne siano altre.

– E allora, perché ti fai quella roba?

– Non posso stare senza far niente. Sono un robot domestico e questa casa mi dà pochissimo lavoro. E poi mi piace fare la maglia. Lei è un sereniano, vero? Scusi se sono indiscreto. Me lo ha detto il suo amico. Dormiva cosí sodo quand'è arrivato, che abbiamo dovuto spogliarla e metterla a letto.

– Dov'è andato, Marcus?

– Non saprei. È uscito e ha detto che difficilmente potrà tornare. Mi ha raccomandato di prepararle la colazione.

«Questa è buona, – pensò Marco. – Dalle mani di un ragazzino a quelle di un robot. Mi caricano e scaricano come un pacchetto di biscotti!»

Chiacchierando con visibile piacere, il robot continuava a sferruzzare.

– Questa casa è di Marcus? – domandò Marco.

– Oh, no! È mia. Per modo di dire, si capisce: ne ho una

dozzina come questa. Tutte case dove la gente va e viene, e il solo che ci stia in permanenza, sia pure per fare i servizi, sono io. Ho quasi ragione di considerarle mie, non le pare?

«L'attacco degli Arcicani, – annunciò in quel momento una voce dal teleschermo, – è terminato. Le nostre trasmissioni riprendono con un concerto di pentole e di coperchi».

Marco girò l'interruttore e il silenzio tornò nella stanza. Ma il robot non lo lasciò durare a lungo.

– Dovrebbe tornare a letto, – disse. – Si vede che lei è abituato a dormire di notte. Da noi, sa, ognuno dorme quando gli pare, e se ne va in giro quando gli piace.

– E a lavorare quando vanno? – domandò Marco.

– Quando vogliono, – rispose pronto il robot. – Il lavoro è libero come il riposo. Tranne che per i robot, si capisce. Noi siamo stati fatti per lavorare, e lavoriamo giorno e notte. Ma la cosa ci dà piacere: siamo stati fatti per questo. La gente, invece, occupa il tempo assolutamente come vuole.

– E come si guadagnano da mangiare?

– I ristoranti pubblici sono sempre aperti, – ribatté il robot, meravigliato.

– E chi fa da mangiare?

– Le macchine. Fanno tutto le macchine; e ormai sono cosí brave che non c'è bisogno di sorvegliarle: costruiscono le case, fabbricano le scarpe, fanno funzionare la televisione, lavano i piatti. Ci fanno una concorrenza, a noi robot...

Marco sbadigliò.

– Mi dia retta, – tornò a dire il robot. – Se ne vada a letto. Se tarda a prender sonno, chiami il numero 17 al telefono. Ci raccontano delle bellissime favole.

MODELLI DI PASSAMONTAGNE ISOLANTI

Chiamate il 17.

Piú incuriosito da quel consiglio che desideroso di dormire, Marco tornò nella sua camera, fece il diciassette e si accostò la cuffia alle orecchie.

«C'era una volta, – cominciò una voce, – un Principe senza un piede. La Regina sua madre aveva perso la testa, gettava per aria armadi e cassetti per trovarla e non aveva pace. Il Re rideva, perché a lui la testa era rimasta. Però gli era rimasta solo quella, con un pezzettino di collo, e sotto il collo non c'era piú niente, né la giacca né i pantaloni. Il Primo Maggiordomo era un personaggio malinconico: della faccia aveva conservato solo il naso, e di tutto il resto del corpo soltanto il gilè...»

– Sarà, – borbottò Marco riattaccando la cornetta[1]. – A me però che cosa me ne importa? Andrò piuttosto a fare quattro passi.

– Tornerà qui a dormire? – gli domandò il robot, che sentendolo scendere s'era affacciato sulla soglia della cucina.

– Non so davvero.

– Se lei mi dice che torna, le tengo la stanza. Però può trovare migliaia di stanze libere dappertutto.

Marco rifletté brevemente.

Esperimenti pericolosi.

– Preferisco avere un indirizzo, – decise poi, – altrimenti in questo paese, dove tutti scompaiono, cambiano nome e cose del genere, finirò con lo scomparire anch'io. Diventerò un uomo di niente, con la testa di niente, eccetera.

[1] È un peccato per voi che Marco abbia riappeso la cornetta, senza ascoltare il seguito della storia. Ma l'autore di questo libro ha rimediato: potete leggere l'intera tragedia del principe spiedato a pagina 140.

Il robot gli diede un biglietto su cui era scritto l'indirizzo della casa: via Serena, 57451.

– Via Serena?!

– In suo onore, s'intende. La targa nuova è stata messa dieci minuti dopo il suo arrivo.

Marco uscí.

La città non era meno viva di notte che di giorno. L'aria era ugualmente tiepida e profumata. Il traffico piú che mai silenzioso. In mezzo a tutta quella gente senza nome, per strade e piazze con nomi provvisori, su un pianeta sconosciuto, abbandonato anche dalla piccola guida che lo aveva condotto il giorno prima alla scoperta della città, Marco provò un senso di angoscia.

«Cosa faccio? Dove vado? Perché mi tengono qui? Perché mi hanno fatto venire, se poi non m'interrogano, non mi sorvegliano, non mi chiedono nulla?»

Si sarebbe rivolto volentieri a qualcuno per avere delle spiegazioni. Ma a chi? Non si vedevano guardie, né vigili urbani: non una divisa qualunque che facesse pensare alla presenza di una qualunque autorità. Certo, poteva fermare un passante qualsiasi: per esempio quello col pigiama a righe che gli voltava le spalle sul marciapiede mobile, e dirgli: «Senta, mi spieghi lei che cosa mi sta succedendo».

Ma quello sarebbe scoppiato a ridere; gli avrebbe detto probabilmente di non preoccuparsi, e magari lo avrebbe pregato di rubare un sigaro per suo conto.

Questo pensiero lo distrasse.

– Se provassi anch'io a rubare qualcosa? Cosí, per vedere che cosa succede.

Ci mise una decina di minuti ad abituarsi all'idea, ma il cuore gli batteva forte forte, e gli pareva di avere le braccia di piombo, quando allungò una mano verso un'edicola per

- COSA FACCIO?
  DOVE VADO?

prendere un giornale. La mano non gli ubbidí che a metà: afferrò il giornale, ma subito dopo lo lasciò cadere.

– Prego...

Una signora che aveva raccolto la refurtiva gliela porgeva sorridendo.

– No... – balbettò Marco. – Non... Non è mio.

– Ma via! – insisté la signora. – Ho visto benissimo che il giornale è caduto a lei.

– Io... – e Marco sentí che arrossiva insopportabilmente. – Guardi che... Signora, lei si sbaglia.

Sudando freddo balzò dal marciapiede e si rifugiò di corsa in un negozio, il primo che gli spalancò la porta per accoglierlo.

– Buongiorno, – lo salutò premurosamente un robot, inchinandosi come un commesso. – Desidera qualcosa?

– Veramente...

Marco si guardò attorno. Era capitato in un negozio di cappelli.

– Mi sono sbagliato, – mormorò, – credevo che qui si vendessero giocattoli.

– Mi dispiace, signore, – disse il robot con aria abbattuta. – Noi vendiamo solo cappelli. Ne prenda uno, via. Un cappello fa sempre comodo, se si vogliono salutare degli amici da lontano. Guardi questo di paglia con specchio retrovisore e radio interna. Lei cammina e sente una bella musichetta che le dà il passo. O preferisce quest'altro, con un piccolo robot massaggiatore, che le gratta la testa se ha dei pensieri?

La bottega dei giocattoli.

Marco era sempre piú imbarazzato e si avviava all'uscita. Ma il robot era un commesso zelante e non mostrava la minima intenzione di mollarlo.

– Non mi faccia un torto, – lo pregava. – Gradisca almeno questo cilindro. Le servirà per andare a teatro.

– Io vorrei dei giocattoli, – ripeté Marco ostinato.

Il robot lo guardò con aria di rimprovero.

– Seconda porta a destra, – disse con voce tremante. E si ritirò in fondo al negozio.

Mentre usciva, Marco ebbe l'impressione di udire un tenue singhiozzo.

Il negozio dei giocattoli aveva almeno una dozzina di vetrine (senza vetri, si capisce) aperte sulla strada. Marco vi si fermò, fingendo di curiosare per darsi un contegno. E subito un robot uscí dalla porta, lo prese dolcemente per un braccio e disse:

– Per piacere, entri. Vedrà che scelta. Nelle vetrine non c'è quasi niente.

Marco non ebbe la forza di liberarsi da quel pressante invito.

– Vorrei qualcosa, – disse, – di poco prezzo.

– Non è possibile, – rise il robot. – Abbiamo solo roba di prima qualità, roba carissima. Guardi, il negozio è pieno come un uovo. Vedesse poi i sotterranei!

– Ma io, – mormorò Marco, – io non ho denaro.

– Certo che non ha denaro! – esclamò il robot offeso. – Vorrei vedere! Sono ormai cinquant'anni che vendiamo tutto gratis: cinquant'anni, caro signore, che non accettiamo un soldo dai nostri clienti. Scusi un istante.

E si precipitò in strada di corsa. Dal marciapiede mobile un passante aveva teso la mano per afferrare una grossa bambola automatica, ma non ce l'aveva fatta. Il robot prese la bambola, rincorse il passante, gli consegnò la merce, gli s'inchinò e rimase per un pezzo a salutarlo con la mano, gridando:

– Grazie! Grazie! Ripassi presto! Saremo sempre onoratissimi di servirla.

– Chi è? – domandò Marco. – Un pezzo grosso?
– Non lo conosco, – rispose il robot. – So solo che ha le braccia corte.
– Ma insomma, stava rubando la bambola, e lei lo ha aiutato! Se è cosí che fa gli interessi della ditta...
Il robot scoppiò a ridere.
– Forse lei viene dalla campagna, non è al corrente. Eppure no, anche in campagna ormai abbiamo negozi come questo. Ma ora capisco: lei è il sereniano di cui ha parlato la radio ieri sera! Che onore per me, per noi, per l'azienda! Caro ed eccellente ospite, lei non uscirà di qui se prima non mi avrà svuotato gli scaffali.
– Le ripeto che non posso pagare.
– Pagare?! Ma se tutti comprano gratis, perché vuol pagare proprio lei che viene da tanto lontano? Avanti, scelga.
Marco esitò.
– Scelga, su. Le piace questo cavallo a dondolo?
– Ah, no, grazie! Basta con i cavalli a dondolo! Se proprio vuole, mi dia piuttosto quel treno elettrico... E quella specie di macchina da ripresa cinematografica... E mi dia anche...
Il robot, lanciando gridolini d'entusiasmo, saltabeccava qua e là per il negozio, afferrava gli oggetti indicati da Marco e li ammucchiava ai suoi piedi.
– Questo è il mio indirizzo, – disse a un certo punto Marco, mostrandogli il cartoncino. – Mi mandi tutto qui prima di sera.
– Ma prenda qualche altra cosina! La prego, la supplico in ginocchio. Prenda anche questo... e questo... e questo...
– Va bene, compro tutto, – disse Marco. – Arrivederci.
Il robot uscí con lui dal negozio, lo aiutò a salire sul marciapiede mobile, gli baciò entrambe le mani.
– Lei mi ha fatto felice, – gridò. – Qui la gente compra cosí poco!...

- VA BENE, COMPRO TUTTO -

Per un'ora, con la testa in fiamme, Marco non fece che entrare e uscire dai negozi a fare acquisti. Era un cliente ideale: comprava sei pianoforti per volta, con grande felicità dei commessi. Comprò perfino una lavatrice automatica e un frigorifero, pensando di regalarli al suo «robot» domestico. Tanto, lassú, niente costava un centesimo. Marco capiva finalmente perché le vetrine non avevano vetri, nemmeno quelle degli orefici, e perché nessuno sgridava i passanti che allungavano le mani per rifornirsi a volo delle cose di cui avevano bisogno.

– Ma supponiamo, – disse Marco al robot orologiaio che gli aveva venduto (gratis) un meraviglioso cronometro, – supponiamo che io ne voglia sette.

– E io glieli do. Anzi, gliene do otto.

– Supponiamo che io pretenda tutti quelli che ci sono in negozio.

– Glieli do tutti. E poi, cosa se ne fa? Per vedere l'ora gliene basta uno. Sottoterra, dove abbiamo le nostre officine automatiche, una sola macchina può produrre, se vogliamo, un milione di cronometri al minuto secondo. Lei non diventa piú ricco, e nessuno diventa piú povero per colpa sua, anche se si riempie la casa di cronometri; anche se se ne mangia una dozzina a merenda. Vuole assaggiarne uno?

Marco ricusò l'offerta. Poi, siccome il robot insisteva, si portò il cronometro alla bocca e ne mordicchiò il cinturino.

– È proprio buono, – ammise. – Sa di fragola.

In certe stradine meno frequentate, Marco scovò i negozi piú curiosi. Non erano che bugigattoli bassi e piuttosto scuri, come se ne incontrano nelle piú antiche città della nostra Terra. Erano anche assai poco frequentati: segno che la popolazione, ormai, disdegnava le merci che vi si vendevano.

Lo confessò, a Marco, il robot che gli si fece incontro in un negozietto sormontato dall'orgogliosa scritta: «*Sarete re in un minuto*».

– Non viene quasi piú nessuno, signore, – gli disse scuotendo tristemente il capo. – Qualche vecchietto, di tanto in tanto. Oppure un giovane provinciale.

– Ma che cosa vendete, precisamente?

– Titoli, signore. Titoli nobiliari, gradi militari, onorificenze di questo pianeta e di altri, di tutti i secoli presenti e passati. Lei vuol essere sergente, granduca, ciambellano, penitenziere di corte, ammiraglio, imperatore del Sacro Romano Impero Germanico? Le cito questo titolo perché so che lei è un sereniano: ho visto la sua faccia alla televisione.

Il robot frugò in uno scaffale e ne trasse un rotolo di pergamene. Lo sfogliò febbrilmente e alla fine ebbe un gesto di disappunto.

– Ho parlato troppo in fretta, – disse. – Il titolo di imperatore del Sacro Romano Impero Germanico è già stato venduto la settimana scorsa. Ora che me ne ricordo, lo ha comprato un altro sereniano.

Per poco Marco non venne meno dallo stupore.

– Come ha detto?

– Ma sí, un altro «terrestre», direste voi. Avrà avuto forse un anno di piú, via. Il titolo lo ha interessato molto. Se n'è andato con la corona in testa e con i documenti attestanti la sua sovranità sotto il braccio. Se vuole, però, a lei posso vendere il titolo di Re delle due Sicilie. Qualora invece la interessassero i gradi, osservi questo...

E in cosí dire, gli mostrò un bellissimo e complicatissimo fregio dorato.

TITOLI NOBILIARI, GRADI MILITARI, ONORIFICENZE...

– Acquistandolo, lei diventerà Vicecomandante in seconda e Supercolonnello della Flotta Spaziale di Bricabrac: un pianeta che non esiste piú da qualche millennio, scoppiato come una nocciolina durante una guerra atomica. Ma non preferirebbe il diploma di Primo Spinterogeno e Sacra Marmitta del Granducato di Besozzo? O quello di Cavaliere e Cavallesso dell'Ordine dei Brutti e Buoni?

Il magazzino delle novità.

Marco non lo ascoltava piú. La notizia che un altro terrestre s'aggirava sul pianeta degli alberi di Natale, gli aveva dato improvvisamente la febbre. Trovarlo, ecco quello che doveva fare subito. Trovarlo ad ogni costo, parlare con lui, accordarsi.

Per levarsi di torno il robot dei titoli, si decise a comprare il grado di Capitano dei Vigili Urbani. Quello almeno poteva essergli utile anche sulla Terra.

«Al mio ritorno a Roma, – pensò, – giuro che metto sull'attenti quel vigile che non ci lascia giocare in piazza Santa Maria Liberatrice e che ci frega un pallone alla settimana».

Il grado, naturalmente, non costava un soldo.

Marco abbandonò quelle malinconiche stradine, nelle quali anche l'alba giungeva lenta, smorta, come se penasse a farsi largo tra il vecchiume. Quando fu di nuovo sul corso che la sera prima era stato intitolato al nome di Etelredus Arifreddus Bollatus, era giorno fatto, e il sole splendeva allegro e pieno di speranza. Marco fissava adesso la folla con ansia eccitata. Chissà, tra le centinaia di bambini che andavano e venivano, soli o accompagnati, a piedi o sui cavalli a dondolo, chissà chi era l'altro «sereniano»: lo sconosciuto terrestre che viveva la sua stessa avventura. Chissà se era italiano, russo, inglese, egiziano... E chissà se ce n'erano altri, e quanti, e di che età.

Il venditore di titoli era stato molto generico in proposito. Secondo lui ci dovevano essere almeno una dozzina di terrestri in visita. Ma non aveva idea di dove si potessero rintracciare. Esisteva un ufficio informazioni a cui rivolgersi? No, non esisteva.

– Forse, – aveva detto il robot, – potrebbe chiedere al Palazzo del Governo-Che-Non-C'è. Ma non ricordo l'indirizzo preciso e dicono che non ci si trovi quasi mai nessuno.

Era già qualcosa, un indizio, anche se sottile quanto il filo di un ragno. Per la prima volta Marco aveva sentito parlare di un'autorità, anche se sulla sua esistenza correvano dei dubbi. Di dove cominciare le ricerche? Un punto di partenza ne valeva un altro. Marco entrò in un «Magazzino di novità» perché il nome gli parve di buon augurio. Vi si vendevano curiosità di ogni genere. Per esempio, francobolli con la colla «mille gusti»: al ratafià per le cartoline, al ribes per le lettere, all'ananas per le raccomandate. Marco fece pochi acquisti, ma non trascurò di riempirsi le tasche di numerosi esemplari di un prodigioso «stemperino».

L'apparecchio, non piú grande di un ditale, era esattamente il contrario di un comune temperamatite.

A che cosa serve un temperamatite? È inutile spiegarlo. Lo «stemperamatite», o «stemperino», adempiva alla funzione opposta: quando la matita era ridotta un mozzicone, bastava rigirarla un paio di volte nello «stemperino» e tornava alle dimensioni primitive: lunga come nuova e con la punta pronta per disegnare. Una macchinetta cosí, al Testaccio, avrebbe avuto certo un grande successo.

Le spiegazioni del robot, che ne illustrava il funzionamento a Marco, furono interrotte dal concitato annuncio di un altoparlante:

«Attenzione! Attenzione! Una muta di Arcicani abbaianti si dirige verso il nostro pianeta. Siete pregati di tapparvi le orecchie fino alla fine dell'allarme».

Marco sbottò.

– Ma se si tappano le orecchie come faranno a sentire la fine dell'allarme? O forse il Comune manderà in giro dei vigili a dare dei pizzicotti alla gente perché si levi i tamponi?

– Scusi, – gli domandò il robot, arrossendo fino all'ultima rotella d'acciaio, – lei ha qualcosa di meglio da proporre?

L'invenzione degli Arciossi.

La gente, per la meraviglia di assistere a quel dialogo, dimenticava di tapparsi le orecchie. E già in lontananza si sentivano abbaiare senza remissione i mostri in arrivo.

– Ma perbacco, – continuò Marco, – possibile che non sappiate far stare zitte quelle bestiacce? Sono Arcicani? E dategli degli *arciossi*: vedrete che, tempo dieci minuti, vi verranno a leccare la mano.

Un «oohh» di meraviglia passò di bocca in bocca come una folata di vento.

– *Arciossi!* Ha detto: *arciossi*.

– Ma certo! Come abbiamo fatto a non pensarci prima?

Il robot afferrò Marco per un braccio.

– Venga, presto, venga dal direttore del magazzino.

– Ma chi lo conosce? – protestò Marco. – Io ho detto cosí per dire.

– No no, per piacere, per favore: lei ha detto la parola che aspettavamo da tanto tempo. Venga.

Il direttore generale mostrò lo stesso entusiasmo del robot e del pubblico. Si attaccò al telefono per dare subito degli ordini.

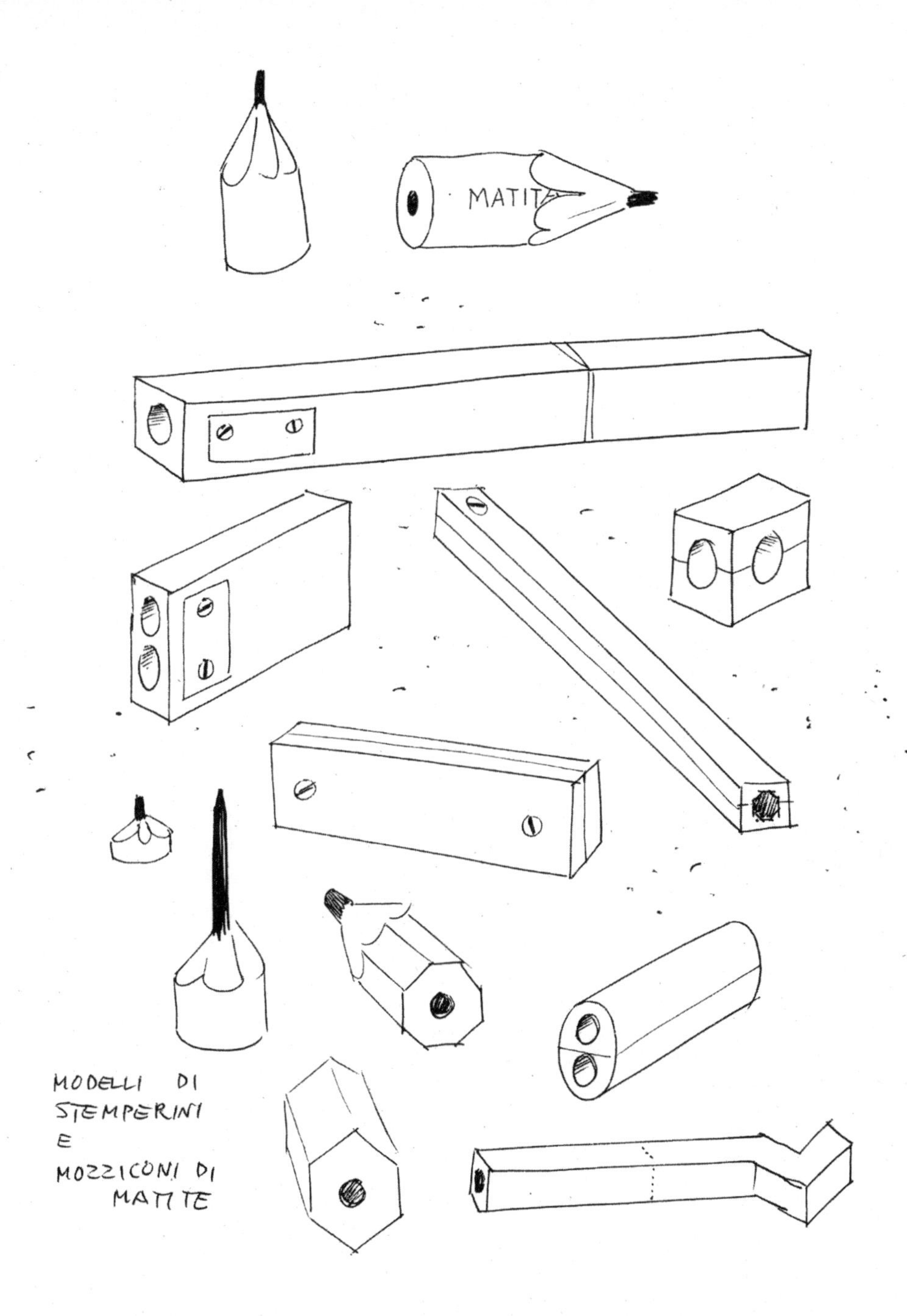

MODELLI DI
STEMPERINI
E
MOZZICONI DI
MATITE

– Pronto?... Sottosezione numero 45 557?... Sospendete il lavoro: tra poco riceverete il disegno di un *arciosso*. Dovrete subito fabbricarne un milione di esemplari. Importante, precedenza assoluta.

A Marco fu messa in mano una matita.

– Disegni un arciosso.

Marco avrebbe volentieri confessato che sapeva disegnare solo pupazzi sui muri; ma si mise ugualmente d'impegno per non far fare una brutta figura alla vecchia Serena.

Scarabocchiò qualcosa, che, molto alla lontana, poteva anche assomigliare a un osso rubato al Macello da un cane randagio del Testaccio e lo mostrò senza tremare. In certe circostanze la sicurezza val piú di tutto il resto. Il modello dell'arciosso, difatti, fu accolto con applausi ed esclamazioni ammirative.

«Si contentano di poco», pensò Marco, che si sarebbe dato malato prima di portare a scuola quel disegno. Ma tenne per sé i propri pensieri e seguí la folla fuori dei magazzini, in una grande piazza dove un centinaio di robot stavano già montando con straordinaria rapidità speciali rampe di lancio, progettate, eseguite e sfornate nel giro di pochi secondi.

L'attesa non durò a lungo. I primi Arcicani erano appena apparsi nel cielo della città, fendendo nuvole colorate da cui avevano fatto cadere piogge di coriandoli-confetti, che già dalle fabbriche sotterranee giungeva il primo esemplare di arciosso.

«Un osso come quello, – esclamò Marco fra sé ammirandone le dimensioni, – basterebbe per far felici tutti i cani di Roma, anzi, tutti quelli dell'Italia centrale. Hai voglia a rosicchiare!»

Dal suo disegno era nato, a dire il vero, qualcosa di mostruoso: un osso imponente quasi quanto il Colosseo. In una parola, l'*arciosso*.

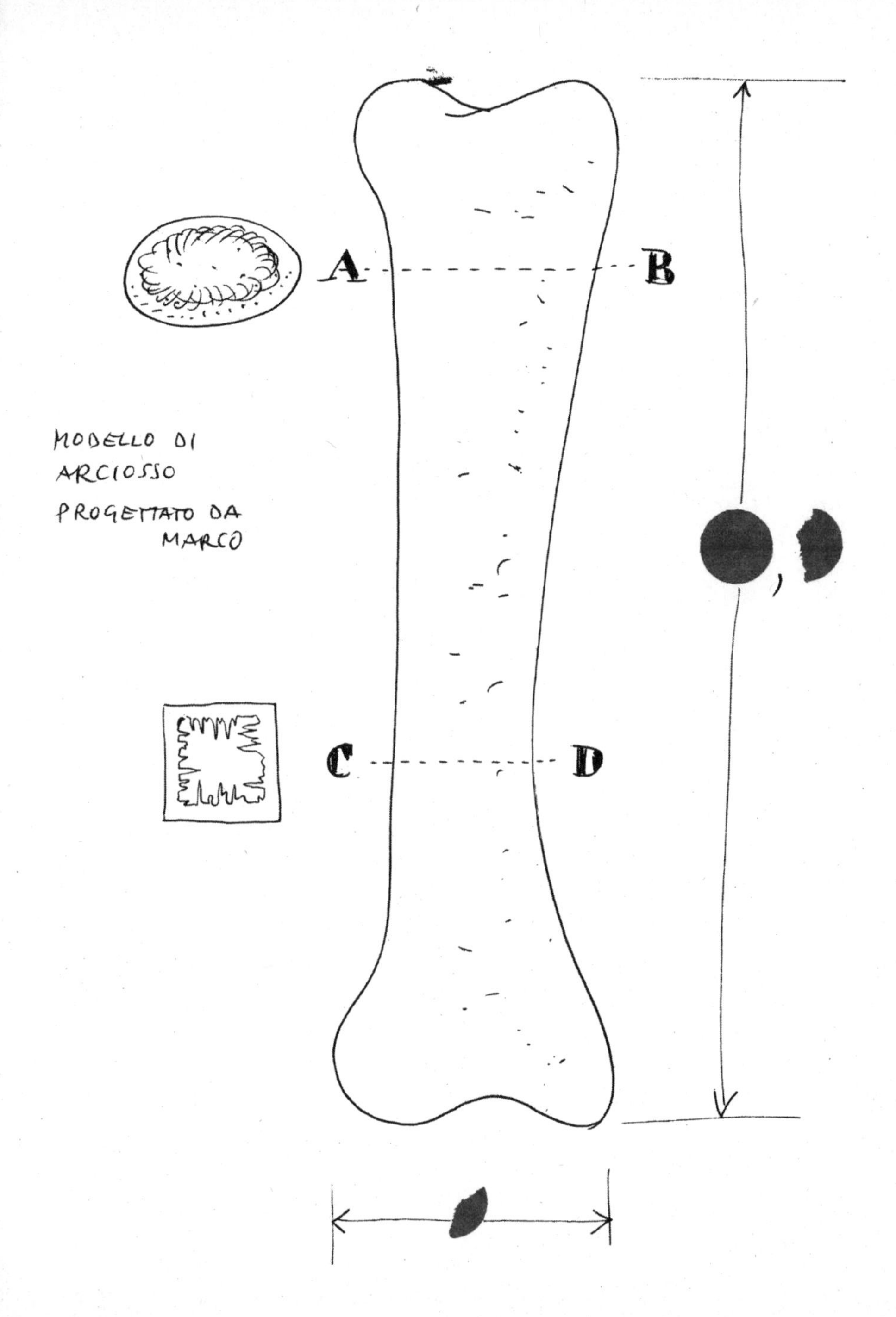
A
B
MODELLO DI
ARCIOSSO
PROGETTATO DA
MARCO
C
D

Quando il proiettile, lanciato dai robot-artiglieri, superò i tetti e giunse all'altezza degli Arcicani, ci fu nelle loro file un attimo d'indecisione; poi tutti insieme, sospendendo i furiosi ululati, si gettarono sulla preda e attaccarono a rosicchiarla, mugolando di soddisfazione.

Un monumento per Marco.

– Mordete, mordete, – gridava entusiasta il direttore dei magazzini. – Vi abbiamo preparato una sorpresa: è un osso che non si consuma mai. Può bastare per un'intera famiglia di Arcicani fino alla settima generazione.

Dalla profondità dello spazio giungevano abbaiando nuove ondate di aggressori. Salivano da terra, a incontrarle, nuove bordate di arciossi e l'effetto era immediato: il silenzio si ristabiliva all'istante. Alcuni Arcicani scesero sui tetti a rosicchiare quelle delicatezze; altri calarono sui giardini pubblici, si posarono sui marciapiedi e i bambini potevano impunemente tirar loro la coda. Non se ne accorgevano nemmeno.

Poche centinaia di arciossi furono sufficienti a tacitare almeno diecimila assalitori. E bastò, ad un certo punto, lanciare gli arciossi ad un'altezza maggiore, per convincere gli Arcicani ad abbandonare la città. Gl'incursori s'allontanarono negli spazi donde erano venuti, leccando e rodendo i loro tesori con grande schioccar di lingue e dimenar di code. Pareva si fossero addirittura dimenticati come si fa ad abbaiare.

Marco fu portato in trionfo.

– Monumento! Monumento! – gridarono, nella folla, alcuni entusiasti.

– Al giardino d'inverno, presto! Tutti al giardino d'inverno: onoriamo il vincitore.

Marco avrebbe voluto essere messo a parte dei progetti che lo riguardavano, ma nell'entusiasmo generale non riuscí a farsi intendere. Accettò filosoficamente la nuova situazione, che era sulle spalle dei suoi ammiratori e, senza toccar terra, attraversò tutto un quartiere della città, fino all'ingresso di una villa circondata da muri altissimi. Sul cancello una scritta annunciava: «Giardino d'Inverno» e un cartello di formato ridotto avvertiva: «A sinistra, servizio di staccapanni».

Anticipando su quel che Marco imparò in quella giornata gloriosa, daremo qui alcune brevi informazioni circa il «Giardino d'Inverno».

Sul pianeta, come abbiamo già detto, regnava un'eterna primavera. Speciali macchine, che non staremo a descrivere e che del resto Marco non vide mai, perché operavano sottoterra o su lontane stazioni spaziali, mantenevano il clima e governavano i venti, le precipitazioni e gli altri fenomeni atmosferici, secondo un calendario artificiale, nel quale la natura non aveva piú il diritto di ficcare il naso.

Ora, la primavera è certamente la piú bella delle stagioni; ma le bellezze dell'inverno non sono mica da buttar via. E quelle dell'estate, quei bei caldi brucianti, quei bei soli che arrostiscono la pelle e rendono piú desiderabile e piacevole un bel tuffo in mare, dove li metteremo? Ci sono, infine, persone tranquille, di temperamento quieto, portate ai ricordi e alle meditazioni, che non possono fare a meno dell'autunno. Per queste e per altre considerazioni, un'intera zona del pianeta, pare, era mantenuta costantemente a un clima autunnale. Sulla maggior parte delle spiagge l'estate era continua, senza interruzioni, senza temporali, senza giornate nuvolose. E proprio nel cuore della città esisteva un vasto Giardino d'Inverno con neve sempre fresca, ogni giorno dell'anno, e laghetti gelati per pattinare, e autentici ghiaccioli sugli alberi (i quali, comunque, erano alberi di Natale come tutti gli altri).

All'ingresso del Giardino d'Inverno, in una vasta anticamera coperta, c'era lo «staccapanni». Cappotti, pellicce, stivali, sovrascarpe, erano messi a disposizione del pubblico dalla direzione del Giardino. I visitatori, entrando, «staccavano» dallo «staccapanni» ciò che loro serviva, a piacere, e all'uscita tornavano ad appendercelo. Il contrario dei nostri attaccapanni, ecco.

Avvolto in una calda pelliccia bianca, con i piedi infilati in un paio di stivaloni foderati di pelo, Marco seguí la folla in cima a una collinetta da cui si lanciavano, con urla festose, centinaia di bambini con le slitte. Una decina di volonterosi cominciarono ad ammucchiar neve con grosse pale e, con quella neve, valenti artisti eseguirono in pochi minuti un monumento che raffigurava Marco con un piede sulla groppa di un Arcicane e una mano levata a brandire un arciosso. Sulla base del monumento, col rossetto di una signora, fu scritta l'epigrafe:

A MARCO, IL SERENIANO, TRIONFATORE DEGLI ARCICANI,
PADRE DEGLI ARCIOSSI.

Comparve, chissà da dove, una banda ed eseguí un inno maestoso. Poi, con un ultimo applauso, la folla collocò Marco sul monumento, accanto al Marco di neve, e si dileguò commentando l'accaduto.

– Toh! – si disse Marco sorpreso. – La festa è già finita.

Guardandosi attorno, constatò che il suo monumento era in buona compagnia. Una dozzina di altre statue di neve, immobili e silenziose, s'ergevano in quello strano Pantheon all'aperto. Talune già cominciavano a sciogliersi: qua mancava un naso, là una scritta sgocciolava illeggibile. A una statua era addirittura caduta la testa tra i piedi e nessuno si curava di rimettergliela sul collo.

Marco stava per abbandonarsi a considerazioni malinconiche sulla gloria, quando una voce allegra lo chiamò, ed egli vide Marcus che gli correva incontro.

– Come stai? – gridava il ragazzetto, arrotolando una palla di neve. – Vedo che te la cavi bene anche da solo. Sei già riuscito a farti fare un monumento!

E in cosí dire, prese rapidamente la mira e scagliò la sua palla fra gli occhi del Marco di neve.

– Be', proprio alla mia statua: non potevi tirare a quella di un altro?

– Tanto i bambini ci faranno il tiro a segno: meglio che il primo colpo te l'abbia tirato un amico.

Marco scese dal monumento.

– Mi spiegherai, – disse, – perché mi hai piantato in asso.

– Affari, – rispose Marcus, alzando le spalle.

E come se avesse fretta di cambiar discorso, aggiunse:

– Sai? Io non sono ancora mai riuscito a farmi fare un monumento.

– Da noi si fanno solo ai morti, – disse Marco. – E mica di neve, ma di bronzo, di marmo... E si mettono nelle piazze, nelle strade, nei giardini pubblici.

– Chissà come ingombrano, – commentò Marcus. – Preferisco i nostri monumenti di neve: durano poco e lasciano il posto agli altri. E poi, che gusto ci può trovare un morto, se gli fanno un monumento? Se glielo fanno da vivo almeno se lo gode, anche se dura poco.

L'inseguimento.

La giornata trascorse rapida e piena, tra una corsa al ristorante e una visita al giardino «zooillogico», cosí battezzato da Marco, perché leoni e tigri passeggiavano tra la gente, e coccodrilli giocavano con cigni e bambini nelle acque limpide di un lago. Di gabbie, nemmeno l'ombra.

Marco si provò piú volte a interrogare il compagno a proposito della sua sparizione notturna, ma non riuscí a cavargli una risposta decente. Gli chiese notizie degli altri sereniani che in quel momento dovevano trovarsi in visita sul pianeta, ma anche su questo argomento Marcus rimase molto abbottonato. Ciò finí col mettere Marco di pessimo umore. Col passare delle ore, egli divenne sempre piú taciturno. Non sopportava piú di non sapere. La decisione di penetrare ad ogni costo il mistero che lo riguardava – il mistero del suo viaggio – cresceva dentro di lui come un frutto a cui niente può impedire di maturare.

«Questa notte, – egli si promise, – terrò gli occhi aperti».

Quando, dopo cena, tornarono alla casetta di via Serena, degnò appena di un'occhiata le montagne di scatoloni dentro cui i vari negozi gli avevano spedito a domicilio gli acquisti della mattina. Non prestò orecchio alle chiacchiere del robot domestico, che aveva seguito alla televisione le vicende della sua vittoria sugli Arcicani. Disse che aveva sonno, salí nella sua camera, mutò il pigiama rosso con quello giallo, si coricò e spense la luce.

Aveva lasciato socchiusa la porta di comunicazione con la stanza accanto e attraverso l'apertura teneva d'occhio Marcus, che si era coricato con un libro sulle ginocchia. Ben presto lo vide sbadigliare, richiudere il libro, allungare una mano verso l'interruttore della luce. Nel buio lo udí rigirarsi un paio di volte nel letto. Allora, senza far rumore, si alzò e scivolò fino alla porta, per sorvegliare il suo respiro regolare e tranquillo. S'accoccolò sul pavimento, ben deciso a non lasciarsi piantare in asso per la seconda volta.

Il lieve rumore di una porta che sbatteva lo fece trasalire.

DISSE CHE AVEVA SONNO

Si fregò gli occhi stanchi: doveva aver dormito, ma quanto? Il respiro di Marcus non s'udiva piú.

Balzò nella stanza vicina, accese la luce; vide il letto disfatto e si precipitò giú per le scale. Fu sulla strada appena in tempo per vedere Marcus che scivolava via, a un centinaio di passi.

«Questa volta non mi scappi», si rallegrò Marco, saltando a sua volta sul marciapiede mobile.

Il Palazzo del Governo-Che-Non-C'è.

L'inseguimento lo portò in una parte della città che ancora non conosceva: forse la piú vecchia. Rade vetrine bucavano con le loro luci i muri di antica pietra scura. Qua e là dai tetti spuntavano torri cupe, appena ingentilite da un albero di Natale fiorito di lampade tra i merli. Anche l'aria primaverile pareva a disagio in quell'intrico di strade strette, di vicoli silenziosi. I muri trasudavano umidità, ma una goccia che cadde da una grondaia sulle labbra di Marco era di rosolio. Gli parve ammuffito anche quello.

Si teneva rasente i muri per non essere visto. Marcus però non si voltò nemmeno una volta, sia che ignorasse di essere inseguito, sia che non gliene importasse. S'infilò in un andito buio, che Marco raggiunse con una leggera corsa.

«*Palazzo del Governo*», lesse su una targa di marmo sbocconcellata dal tempo. E, sotto, un'altra mano aveva scritto con un pezzo di carbone: «*Che-Non-C'è*».

Non c'era ombra di sentinella, né di usciere. Nell'atrio semibuio cominciava uno scalone dal quale scendeva, unico segno di vita, il rumore dei passi di Marcus.

Anche Marco si lanciò su per lo scalone, col cuore che gli batteva. E solo quando lo ebbe urtato col piede intravide un corpo abbandonato sui gradini.

– Fa' attenzione, perbacco, – borbottò una voce irritata.

– Scusi, – bisbigliò Marco. – Mi scusi tanto.
– Figurati, – rispose la voce, subito rabbonita. – E dammi pure del tu.
– Ma io non la conosco.
– Se è solo per questo, mi posso presentare. Sono il capo del governo. Ma adesso sai che ti dico? Che me ne vado a casa.
Marco non sapeva cosa pensare dello strano personaggio. Non riusciva nemmeno a vedere, in quella penombra, se fosse giovane o vecchio.
– Stavo recandomi a una seduta, – continuò la voce, – quando mi è venuto in mente un magnifico problema di matematica. E allora, seduta per seduta, mi sono seduto qui per risolverlo. Qui c'è tanta quiete! E cosí mi è passata la voglia d'andare alla riunione. Mi dispiace per i miei colleghi, ma dovranno eleggere un altro capo del governo. Mi considero dimissionario per ragioni matematiche.
E ridacchiando s'alzò, si scosse la polvere dal pigiama, diede un buffetto a Marco sulla guancia, e prese a scendere i gradini.
– Scusi, – mormorò Marco, facendosi coraggio, – se lei è il capo del governo dev'essere al corrente della mia questione. Sono di Roma, sulla Terra: anzi, scusi tanto, sul pianeta Serena. Vorrei sapere se...
– Già, ora che mi ricordo, c'eri anche tu all'ordine del giorno. Ma non ti dare pensiero: si risolverà anche il tuo problema. Io ho il mio, abbi pazienza. Gran cosa la matematica...
E disparve giú per la scala.

Il Presidente Marcus.

A Marco non rimase che riprendere l'inseguimento del suo amico, col dispetto di essersela lasciato scappare. In cima alla scala si apriva una sfilata di saloni illuminati, con grandi quadri alle pareti. Forse un museo, forse una reggia abbandonata. Decine di porte chiuse chissà dove portavano. Marco cominciò cautamente ad aprirne una, poi un'altra.

Alla terza porta si ritrasse vivamente: aveva visto, di là, una dozzina di persone sedute intorno a un tavolo a ferro di cavallo, e tra loro sedeva Marcus, e parlava. Marco lasciò la porta socchiusa e si dispose ad ascoltare.

– Non possiamo rimandare la riunione, – diceva Marcus. – Se il capo del governo non viene, nominiamone un altro.

– Ma sarà il quinto in un mese, – interloquí una voce profonda, in tono allegro. – Cosí non si può andare avanti. I volontari per le cariche di governo diventano sempre meno numerosi. Prendete per esempio il ministero delle finanze: sono due mesi che cerchiamo invano un titolare. Tutti i candidati dicono che hanno da fare; poi li trovate che si divertono a giocare a scacchi coi robot, a inventare macchine, quando non se ne vanno addirittura a sfasciare muri allo Spaccatutto.

– Non per niente, – disse un'altra voce, – siamo «*Il-Governo-Che-Non-C'è*» come dice la gente. Un governo è davvero inutile quando le cose vanno avanti da sole.

– Ci sono cose che esigono una decisione, – insisteva Marcus.

– I cittadini hanno imparato a decidere su tutto, e decidono sempre in maniera meravigliosa.

– D'accordo, – disse Marcus, – ma non possiamo mica far decidere in piazza la questione dei sereniani.

– E perché no? Anzi, perché non la decidi tu, – disse la voce allegra, – e noi ce ne andiamo per i fatti nostri? Anzi, anzi, e tre volte anzi: giacché ci siamo, perché non fai tu il capo del governo? Sei giovane, pieno di fantasia: farai certamente cose magnifiche.

Corse intorno al tavolo un vivace applauso.
– Approvato all'unanimità, – gridarono molte voci.
– Ma io...
– Niente «io»: sei stato eletto, arrangiati.
– Va bene, – disse Marcus fermamente. – Accetto. Ma a una condizione: che stasera stessa si discuta il caso di Marco. Ho perso tutta la notte scorsa e metà della giornata a tentare di organizzare una riunione del governo e, adesso che ci siete, discuterete. Tanto piú che il tempo stringe. Prima dell'alba il caso dev'essere deciso, in un senso o nell'altro.
– Perché tanta fretta?

La Quinta H.

– Perché Marco ha lasciato Serena, secondo il calendario sereniano, la sera del 23 ottobre. Tra qualche ora laggiú sarà l'alba del 24 e sarà notata la scomparsa del ragazzo, a meno che non gli consentiamo di rincasare subito.
Marco provò un brivido d'angoscia. Nella sala vi fu un breve silenzio; poi qualcuno invitò Marcus a fare la sua relazione.
– Signori, – cominciò Marcus, – voi sapete che i sereniani, negli ultimi tempi, hanno compiuto molti passi in avanti nell'astronautica. Si può ragionevolmente ritenere che entro pochi decenni, viaggiando per l'universo, essi tocchino terra sul nostro pianeta. In che stato d'animo sbarcheranno? Si presenteranno come amici disposti a stringere amicizia con noi, a rispettare la nostra libertà, o come Arcicani abbaianti, come conquistatori intenzionati a sottometterci e ad impadronirsi di quanto abbiamo creato per il nostro benessere? Sapete meglio di me che quando questa questione è stata dibattuta in seno al governo – io

a quell'epoca ero ancora in fasce –, un po' per pigrizia, un po' per leggerezza, nessuna misura di precauzione è stata decisa. Avremmo potuto mandare un ambasciatore ai terrestri, e non se n'è fatto niente. Avremmo potuto metterci in comunicazione coi governi di laggiú, e il nostro «Governo-Che-Non-C'è» si è spaventato del loro numero. Per fortuna ci siamo mossi noi.

– Chi noi? – domandò una voce assonnata.

– Già, lei è diventato ministro solo ieri sera e non ne sa niente. Noi, voglio dire i ragazzi della scuola 2345, classe quinta, sezione H. Senza dir niente a nessuno abbiamo varato il nostro progetto. Allora «Il-Governo-Che-Non-C'è» si è messo improvvisamente ad esistere e ha voluto prendere nelle mani le redini dell'affare. Avete voluto le redini? Tiratele.

– Ma quali redini? Quale affare? Benedetti tutti quanti, spiegatemi, – protestò la voce assonnata.

– Quanto a questo, – disse la voce allegra, – l'idea è stata buona. I nostri baldi scolaretti hanno ragionato cosí: i sereniani arriveranno qui, vediamo, fra vent'anni. Dunque, quelli di loro che saranno a quell'epoca esploratori, astronauti, astronomi, fisici, generali, capi di Stato e compagnia bella, oggi come oggi sono ragazzini delle elementari, né piú né meno di noi. Con chi dobbiamo dunque metterci d'accordo? Non con i governi che passano, ma con la quinta H di Tokio; la quinta H del Testaccio di Roma, la quinta H di Gavirate, eccetera eccetera. (Quei diavoli sono forti in geografia sereniana.) E siccome noi siamo stati, in passato, abbastanza ingenui da dotare le nostre scuole di laboratori di astronautica, serviti da robot elettronici di prim'ordine, eccetera, i nostri marmocchi hanno cominciato a produrre cavalli a dondolo spaziali in tutto simili a certi cavalli di cartapesta molto ricercati sulla Terra come giocattoli e doni di Natale.

(«Mica poi tanto...» borbottò fra sé Marco, per essere fedele alla sua natura di brontolone romanesco. In realtà ascoltava trattenendo il fiato, come si ascoltano, da piccoli, le piú belle fiabe.)

I cavalli a dondolo di Troia.

– Questi cavalli, – proseguí Voce Allegra, – sono stati introdotti, di nascosto, da speciali missioni interplanetarie nelle botteghe di Serena. I ragazzi a cui capitano in dono, da un momento all'altro si trovano scaraventati sul nostro pianeta, dove diventano, almeno si spera, amici nostri. Quando la loro educazione spaziale è compiuta, li rimandiamo sulla Terra. I nostri marmocchi della quinta H ritengono di gettare cosí le fondamenta della pace cosmica. Essi giurano che tra vent'anni il sistema darà i suoi frutti. Tra vent'anni, cioè, ci ritroveremo qui i nostri visitatori di oggi, già preparati a quel che incontreranno; già capaci di servirsi dei nostri marciapiedi mobili, di mangiare le nostre quadristecche e di fare i loro acquisti gratis nei nostri negozi. E, quel che piú conta, verranno da amici. Almeno si spera.

– E questo po' po', – brontolò Voce Assonnata, – questo po' po' di piano d'educazione interplanetaria è stato attuato sul serio?

– Cosí pare, – rispose Voce Allegra. – Ogni tanto ci capita qui un sereniano; i nostri marmocchi gli si mettono alle costole, lo scarrozzano in su e in giú, insomma lo erudiscono...

– E poi lo lasciano andare?

– Già, proprio cosí.

– Un momento, – intervenne Marcus, che là dentro sembrava il piú serio e il piú informato. – Lo lasciamo andare se siamo certi d'averne fatto un amico: altrimenti lo teniamo qui. Ma questo, veramente, non è ancora successo.

"MICA POI TANTO" - BORBOTTÒ FRA SÉ MARCO

E sapete quanti sereniani arrivano in un mese sul nostro pianeta? Almeno centomila.

– Avete dato, – osservò Voce Allegra, – uno spaventoso incremento al commercio dei cavalli a dondolo su Serena. E, come sapete, laggiú i cavalli a dondolo si pagano ancora.

– Ora la questione, – proseguí Marcus, – è di sapere se pensiamo di poter lasciar partire Marco, o se dobbiamo trattenerlo come ostaggio. Non voglio prendere da solo una simile decisione...

– In ogni caso, – disse qualcuno, – tu sei quello che lo conosce meglio. La prova degli Arcicani l'ha superata brillantemente.

– La prova di che cosa? – domandò Voce Assonnata. – È già la seconda volta che sento nominare questi Arcicani.

– Beato lei che li ha sentiti solo nominare, – commentò Voce Allegra. – Abbiamo sottoposto il nostro giovane visitatore a una piccola prova, per vedere se riusciva a dimenticare il verbo «uccidere».

– Scusi, non ho capito.

– S'intende che non può aver capito. «Uccidere» è una di quelle vecchie parole che conserviamo nel palazzo della Cancelleria, dopo che le cancelliamo dai vocabolari. «Uccidere», «odiare», «guerra», e simili che io non ricordo. Abbiamo messo in scena le incursioni degli Arcicani a uso del nostro raccomandato, e ha reagito positivamente.

– È il duecentesimo sereniano che inventa gli arciossi... – osservò un altro ministro.

(Marco, dietro la porta, arrossí. Ma per quanto si sforzasse di provare irritazione, non ci riuscí. E si accorse, con sorpresa, che il suo rossore esprimeva piuttosto la soddisfazione di aver superato con successo la prova cui era stato sottoposto a sua insaputa.)

– È un ragazzo sufficientemente generoso, – riprese Marcus, – anche se tende a mascherare i propri sentimenti dietro un velo d'ironia; e farebbe battute di spirito a un funerale. Ma queste sono, almeno cosí ci hanno insegnato a scuola, caratteristiche dei romani. Pare che usino nascondersi dietro un'apparenza antipatica: per apprezzarli, bisogna saper guardare sotto le apparenze.

(Marco arrossí di nuovo. Gli parve di non aver mai amato la sua vecchia Roma, il suo vecchio Testaccio, il suo popolino brontolone e generoso, come in quel momento. E avrebbe abbracciato Marcus, se avesse potuto. Ma altri pensieri meno sereni sorgevano in fondo alla sua mente, come nubi in fondo al cielo...)

– Tuttavia, – disse Marcus, – non so decidermi. Avrà capito veramente l'importanza di questo viaggio? Forse, se l'avesse fatto fra un paio d'anni...

(«Ma sentitelo, – borbottò Marco fra sé, – neanche lui fosse un vecchio con la barba! Tanta boria perché l'hanno fatto capo di un "Governo-Che-Non-C'è"!...»)

– Sicché, se ho ben capito, – interruppe una voce, – tu proponi di tenerlo qui per un paio di anni. Anni nostri o anni terrestri?

Marco balzò in piedi di scatto, come se l'avesse punto uno scorpione.

«Amici cari, – disse fra sé, – non sarete voi soli a decidere...»

E senza piú ascoltare il seguito della discussione, attraversò di corsa i saloni e si precipitò giú per le scale. Sul portone urtò di nuovo nell'ex capo del governo, che se ne stava immobile, tra i due battenti, a grattarsi la testa.

– Ah, il piccolo sereniano! Pare che tu abbia fretta... Toh!

E io sono ancora qui al palazzo del governo! Questi problemi di matematica mi fanno dimenticare il tempo e lo spazio. Ma stavolta me ne vado a casa davvero...

Marco lo scansò e corse via affannato e deciso. Un paio di volte fu per perdersi nei vicoli del vecchio quartiere; ma quando sbucò sul corso non ebbe dubbi sulla direzione da prendere.

Accanto al marciapiede mobile riposavano in lunga fila i cavalli a dondolo pubblici. Ne inforcò uno e scivolò via silenziosamente, tenendosi nel mezzo della strada per far piú presto. A destra e a sinistra si lasciava indietro due pareti scintillanti di alberi di Natale, di vetrine festose; ma non aveva tempo per i rimpianti e per le considerazioni.

Ecco l'edificio basso e lucente dell'aeroporto. Solo quando ebbe accostato il suo cavallo a dondolo al marciapiede ed ebbe messo i piedi a terra, la domanda piú difficile gli ballò davanti agli occhi: – E adesso che faccio? Cerco un'astronave in partenza per il sistema solare?

Ebbe un'idea migliore. A un robot che stava lucidando le zampe di un'astronave domandò:

– Scusa, sai dirmi dov'è stato portato il carico di cavalli a dondolo destinati a Serena?

Il robot lo guardò meravigliato.

– Sei per caso uno della quinta H?

– Già, e ho una missione importante da compiere.

– Mi dispiace, – disse il robot. – Il carico è partito ieri. Il prossimo non partirà che fra una settimana...

– Sí, – disse in fretta Marco, – questo lo so. Ma credevo che... Mi sono sbagliato di giorno... Che giorno è oggi?

– Ma è Natale, come sempre, – rispose il robot sorpreso e un po' insospettito. – Ti senti bene?

– Non tanto, per la verità, – ammise Marco. – Quando si ha qualcosa d'importante da fare, non bisognerebbe fidarsi di una poltrona. Credo di aver dormito ventiquattr'ore: ecco perché mi sono confuso.

E s'allontanò in fretta, mentre il robot si rimetteva al lavoro, crollando il capo, nel quale quei confusi discorsi dovevano aver creato un certo scompiglio.

Marco rallentò il passo. La prospettiva di dover attendere un'altra settimana, col pericolo poi di non riuscire nemmeno a nascondersi sull'astronave in partenza per la Terra, gli tagliava le gambe.

In quel momento l'altoparlante dell'aeroporto cominciò a chiamare il suo nome:

– Marco! Marco! Marco il sereniano. Attenzione! Attenzione!

Scoperto! Dove nascondersi? Che fare? Intorno a lui, immensa e illuminata a giorno, si stendeva la pista dell'aeroporto spaziale: enormi cavalli a dondolo interplanetari atterravano o decollavano in silenzio. E, nel silenzio enorme, schiacciante, di nuovo quella voce:

– Marco! Marco! Attenzione! Marco il sereniano è desiderato all'hangar numero 45.

L'hangar numero 45.

L'avviso fu ripetuto un paio di volte, poi l'altoparlante tacque. Sconsolato, già rassegnato a ubbidire, Marco si diresse verso una lunga fila di hangar che chiudeva un lato dell'aeroporto. Numero 28, numero 35... Ecco l'hangar numero 45. Strano, era tutto buio? La porta era sbarrata, ostile. L'hangar numero 44 e quello numero 46, invece, erano aperti, e dentro vi si svolgeva un affaccendato viavai di robot e di astronauti.

«Avrò sbagliato a capire», mormorò Marco fra sé, ponendo due dita sulla maniglia. Era preparato a sentire la resi-

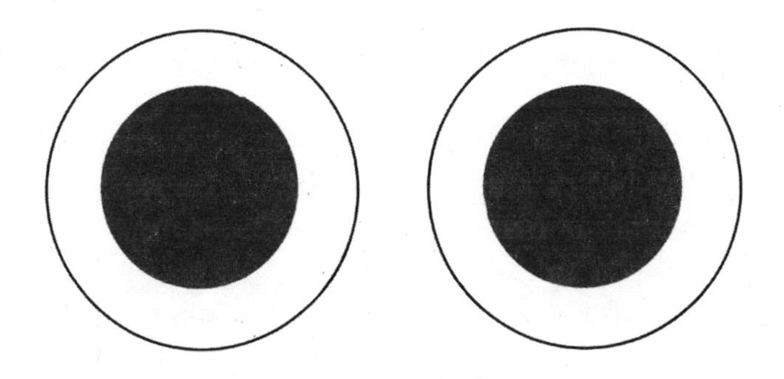

SCOPERTO!

stenza della porta chiusa, invece il battente si mosse dolcemente sui cardini. Marco, con improvvisa decisione, entrò nell'hangar e richiuse la porta.

«Mi nasconderò qui, in ogni caso, – si disse. – Qualcosa accadrà».

Tendendo le braccia per non urtare in eventuali ostacoli, si diresse verso un angolo dell'hangar. Improvvisamente le sue mani riconobbero una sagoma buia, una superficie liscia... E c'era, lí, un odore di vernice, di semplice vernice terrestre. Palpò la forma oscura, sentí passare sotto le dita i lineamenti di una testa allungata, le redini lente... Avrebbe giurato che quello era il «suo» cavallo a dondolo, quello che il nonno – ah, nonno, che pensata la vostra!... – gli aveva regalato per il compleanno.

«Possibile!» mormorò fra le labbra Marco.

Ritorno al Testaccio.

E in quell'istante la luce si accese, una banda intonò un inno, un applauso scoppiò, e da un gruppo di persone sorridenti si staccò Marcus... Proprio Marcus. E gli altri, intorno a lui, erano certo i bizzarri ministri del «Governo-Che-Non-C'è».

Marcus sorrideva amichevolmente e gli tendeva la mano.

– Buon viaggio, – diceva. – Sarai a casa prima di giorno, e nessuno si accorgerà di nulla. Come vedi, la decisione ti è stata favorevole.

Marco sentí che il cuore gli si fermava. Bel momento davvero, per mettersi a piangere. Eppure, fu proprio cosí: Marco piangeva, e piangendo abbracciava Marcus e lo baciava sulle due guance; e Marcus lo lasciava fare, continuando a stringergli la mano.

– Sei contento? Ti è piaciuta la nostra piccola sorpresa? La banda è di tuo gusto? – chiese Marcus.

E rivolto ai membri del «Governo-Che-Non-C'è» aggiunse:

– Come vedete, la prova è perfettamente riuscita.

– E chi può dirlo? – domandò un dignitoso personaggio in vestaglia.

– Piange, guardate. Lui non sa perché piange, e crede che sia per la gioia di tornare a casa. Ma non è per questo: piange perché in questo momento, mentre ci lascia, ha scoperto che ci vuol bene e che ci ammira. Ha scoperto di aver imparato tante cose e che gli ci vorrà molto tempo per farne l'inventario. Abbiamo un amico di piú nello spazio. Non vi pare che valesse la pena di fare quello che abbiamo fatto? La decisione di lasciarlo partire è la piú giusta e la piú utile.

Parlando, Marcus aveva trascinato il cavallo a dondolo fuori dell'hangar, sulla pista, e ora lo teneva per le briglie e stringeva un'ultima volta la mano al piccolo «sereniano». Marco fece l'atto di montare in sella, ma si fermò. Corse sul bordo del campo; strappò da un albero di Natale un ramo coi suoi frutti bizzarri appesi al loro picciuolo, e se lo strinse al cuore.

– Posso portarlo con me? Mi piacerebbe piantarlo sul balcone di casa mia, al Testaccio. O forse sarà meglio che lo pianti in una piazza; e quando sarà cresciuto, gli taglierò i rami e li ripianterò in tante altre piazze. Popolerò la terra di alberi di Natale...

– Bisogna vedere, – sorrise uno dei ministri, – se le nostre piante attecchiscono, laggiú.

Anche Marcus, adesso, era commosso. Scopriva forse per la prima volta che un sereniano può amare la sua vecchia Serena proprio come lui amava il suo pianeta.

– La Terra cambierà nome, – gridò Marco allegramente, montando a cavallo. – Si chiamerà il «Pianeta degli alberi di Natale», vedrete.

Polvere di mughetto.

Si svegliò che la mamma lo scuoteva, affettuosa ed allegra, e lo chiamava a gran voce:

– Su, marmotta, il compleanno è finito. Adesso è già domani: si torna a scuola...

– Che giorno è? – domandò Marco, mettendosi a sedere di scatto sul letto.

– E che giorno dev'essere? Ieri era il 23 ottobre, e oggi è il 24. Era il tuo compleanno, te lo sei scordato?

E gl'indicò il cavallo a dondolo, regalo del nonno, che pareva guardar fuori dalla finestra con aria sorniona.

Marco balzò dal letto e corse ad esaminare il cavallo, con un'improvvisa paura nel cuore. Là, proprio sotto l'orecchio destro, c'era come un forellino di pallottola: il meteorite che l'aveva colpito nel viaggio di ritorno, dalle parti di Saturno.

Corse presso il letto e afferrò una pantofola, l'annusò.

– Ma che fai? Sei diventato matto? – rise sua madre.

Marco sentí che un gran peso gli cadeva dal cuore. La polvere delle pantofole profumava di mughetto: l'aveva raccolta lassú, quella polvere. Dunque c'era stato davvero: ecco la prova che il meraviglioso viaggio non se l'era sognato.

Il ramo, presto. Dove si era ficcato il ramo strappato dall'albero di Natale dell'aeroporto? Ma per quanto cercasse non poté trovarlo: forse il vento degli spazi gliel'aveva rubato, mentre il cavallo a dondolo divorava milioni di chilometri in pochi minuti per essere sulla Terra prima dell'alba.

Peccato! Ora sarebbe stato piú difficile trasformare la

CHE GIORNO È?

Terra nel pianeta degli alberi di Natale, per renderla degna degli amici che l'aspettavano lassú, fra le piú lontane costellazioni. Piú difficile, ma non impossibile.

– Al lavoro! – gridò Marco. E cominciò a sfilarsi il pigiama. In una tasca del quale, piú tardi, trovò un coriandolo di menta.

FINE

Parte seconda

Cose di quel pianeta

Antico Calendario
del Pianeta degli alberi di Natale

Il pianeta è piú piccolo della Terra. Questa è la ragione per cui anche il calendario è piú corto. Inoltre è facoltativo, cioè chi vuole lo guarda, chi non vuole ne fa a meno. L'anno dura soltanto sei mesi. Ogni mese ha appena quindici giorni. Ogni giorno è Natale, ma questo l'abbiamo già detto. Le settimane sono composte di tre giorni: un Sabato e due Domeniche. Alcuni sabati sono piuttosto complicati, perché fino a mezzogiorno è sabato pomeriggio, e dopo mezzogiorno è già domenica.

Le ore non sono tutte come le nostre. Le sette del mattino, per esempio, capitano un po' piú tardi, verso le dieci: cosí nessuno è costretto ad alzarsi troppo presto.

Ora vedremo i mesi uno per uno.

Aprile

Descrizione.

Aprile è il primo mese dell'anno, cominciando dal principio, e l'ultimo cominciando dalla fine. In questo mese ogni giorno è Natale, Capodanno e Domenica. I giorni portano tutti e quindici il numero uno. Nelle scuole elementari, per aiutare i bambini a distinguerli l'uno dall'altro, vengono chiamati cosí:

Uno A – Uno B
Uno Qua – Uno Qui
Uno Là – Uno Lí
Uno Su – Uno Giú
Uno Va – Uno Sta
Uno Fa – Uno Disfa
Uno Col Prosciutto
Uno Col Melone
Uno Col Gelato Sul Panettone

Date da ricordare.

Le date piú importanti del mese sono le seguenti:

UNO VA. Anniversario della nascita di Quintus Silenius, inventore della macchina per fabbricare le barchette di carta.

UNO COL MELONE. Anniversario della nascita di Quintus Silenius (un altro, non quello di prima), inventore del «raggio del silenzio», che serve a far tacere i televisori troppo rumorosi.

Oroscopo.
I nati di questo mese saranno sempre di buon umore, tranne in caso di mal di denti. Se non cammineranno nell'acqua avranno sempre i piedi all'asciutto. Il cappello se lo metteranno soltanto in testa. O sull'attaccapanni.

Titolo consigliato.
Cavaliere dell'Ordine del Cavallo a Dondolo.

Il proverbio del mese.
Non bastano i lampi per fare la marmellata di lamponi.

Riaprile

Descrizione.
Questo mese è una specie di ripetizione del precedente, però tutti i suoi giorni sono pari: Due, Quattro, Sei, Otto, Dieci, e cosí via fino al quindicesimo giorno, che si chiama Trenta. Il giorno Ventiquattro è curioso, perché dalla mattina alla sera è sempre mezzogiorno.

Date da ricordare.
Le date piú importanti sono le seguenti:

8 RIAPRILE. Anniversario della nascita di Quintus Silenius (un altro ancora, si capisce, vero?) inventore della macchina per tagliare il brodo, dell'apparecchio per far piovere all'insú e dei buchi nel formaggio.

22 RIAPRILE. Giornata delle inaugurazioni. Tutto il pianeta viene inaugurato da capo e di nuovo. Si mettono nastri dappertutto, chi ha un paio di forbici sottomano li taglia, chiunque può fare un discorso. Se poi il discorso è noioso il colpevole viene condannato a stare zitto fino alla fine dell'anno.

28 RIAPRILE. Anniversario della battaglia di Plúmini Plúmini, dove il Generale Silvius sconfisse il Generone Probus in una memorabile partita a dama che durò sette ore e quaranta bottiglie di gazosa.

Oroscopo.
I nati di questo mese, secondo il parere dei maghi ed astrologhi piú reputati, saranno due volte gentili e due volte

allegri, tranne in caso di morbillo. Ciascuno di loro avrà due mani, due piedi, due occhi, due orecchie e un cervello: tanta roba che basterà loro – se bene adoperata – per non stare mai in ozio.

Titolo consigliato.
Doppio Cavaliere dell'Ordine del Cavallo a Dondolo con speroni d'oro.

Il proverbio del mese.
Se non ti piacciono i baffi non andare con i gatti.

Maggio

Descrizione.
In questo mese i giorni sono numerati da uno a quindici. Ogni giorno, oltre che Natale, è anche il Primo Maggio. Gli orologi stanno sempre fermi sulle diciannove, cosí dalla mattina alla sera si godono dei bellissimi tramonti. Gli scienziati stanno da tempo studiando il modo e la maniera di allungare questo mese di una settimana, ma finora non ci sono riusciti.

Date da ricordare.
3 MAGGIO. Anniversario della nascita del matematico Quintus Silenius (un altro, diverso da tutti gli altri), che alle quattro operazioni fondamentali dell'aritmetica (addizione, sottrazione, divisione, moltiplicazione), ne aggiunse molte altre, tra cui: la disaddizione, la pacificazione e la distrazione, nella quale eccelsero subito gli studenti distratti.

6 MAGGIO. Comincia il Giro del Pianeta. La prima tappa si corre in bicicletta, la seconda nei sacchi, la terza a gamba zoppa, e cosí via. Tutti i corridori arrivano primi, indossano la maglia gialla e vengono intervistati alla televisione.

10 MAGGIO. Anniversario della morte, causa malattia, dell'ultimo cannone.

Oroscopo.
I nati di questo mese, se partiranno, potranno anche fare dei lunghi viaggi. Salendo su uno sgabello, sembreranno

piú alti (sebbene il noto indovino Silenius sostenga che lo sgabello potrebbe anche rovesciarsi).

Titolo consigliato.
Gran Baco della Mela Acerba e Primo Monopattino dell'Impero.

Il proverbio del mese.
Non invitare a pranzo la mosca se non vuoi che ti venga nel piatto.

Arimaggio

Descrizione.
Questo mese è il rovescio del precedente. Difatti comincia col giorno 15 e finisce col giorno uno. Anche gli orologi camminano all'indietro, e la gente non ci trova il minimo inconveniente.

Date da ricordare.
15 ARIMAGGIO. Anniversario della nascita del poeta Munarius, inventore dell'ottocicletta (una bicicletta speciale, con otto pedali, a uso dei ragni con otto zampe), delle «poesie per ridere», e delle «poesie per sbaglio» di cui troverete qualche esemplare piú avanti.

7 ARIMAGGIO. Anniversario della nascita dello scrittore Fabelicus, detto il Corto, perché scriveva storie di una sola riga. Eccone una: «La notte scendeva troppo in fretta: scivolò e cadde». Cacciato a furor di popolo, oggi è quasi dimenticato. È rimasta solo la data, ma quella a scuola bisogna studiarla lo stesso.

3 ARIMAGGIO. Campionato Interplanetario dei mangiatori di gelato.

Oroscopo.
Una volta si credeva che i nati di questo mese sarebbero stati grandi da piccoli, e piccoli da grandi. Si è poi visto che la cosa non capita quasi mai. I nati di questo mese diranno sempre la verità, tranne quando diranno una bugia. Ame-

ranno la fisica, la pittura e la fisarmonica, forse; e forse invece ameranno altre cose, ma non fa niente: l'importante è che si accorgano in tempo che il mondo può essere bello.

Titolo consigliato.
Commendatore del Timballo di Maccheroni, oppure: Grand'Ufficiale della Panna Montata.

Il proverbio del mese.
Chi non ha due teste può avere due cappelli, chi ha una testa sola non può avere due cervelli.

La notte scendeva troppo in fretta: scivolò e cadde.

Giugno

Descrizione.
Anticamente i giorni di questo mese furono indicati con tre numeri a testa, ed erano – pare – numeri ottimi da giocare al lotto. Oggi nessuno ha piú bisogno di vincere al lotto, perché tutto quello che si poteva avere con il denaro si ha anche senza. L'antica numerazione però è rimasta e i bambini ci si imbrogliano. Per fortuna neanche i maestri ricordano piú tutti i terni giusti, cosí non si accorgono dell'errore.

Date da ricordare.
40-50-87 GIUGNO. Anniversario della nascita dell'architetto Exquisitus, inventore dei grattacieli sdraiati.

7-47-70 GIUGNO. Giornata della Rima. Ai cittadini è permesso discorrere rispondendosi per le rime. Se ne sentono delle belle. Per esempio:

– *Buongiorno, come sta?*
– *Metà della metà.*
– *Vedo che ha bella cera.*
– *A casa ho anche una pera.*
– *Sua moglie, come se la passa?*
– *Con un tantino di potassa.*
– *Le ferie le ha già fatte?*
– *Sí, ma senza ciabatte.*
– *Avrebbe incontrato difficoltà piú serie*
se aveva le ciabatte ma non le ferie.

Oroscopo.
I nati di Giugno hanno la vita in pugno. Però non saranno alti un metro fin che non avranno raggiunto i cento centimetri.

Titolo consigliato.
Pedone d'Onore, con Strisce di prima classe.

Il proverbio del mese.
Il peggior sordo è quello che fa finta di sentire.

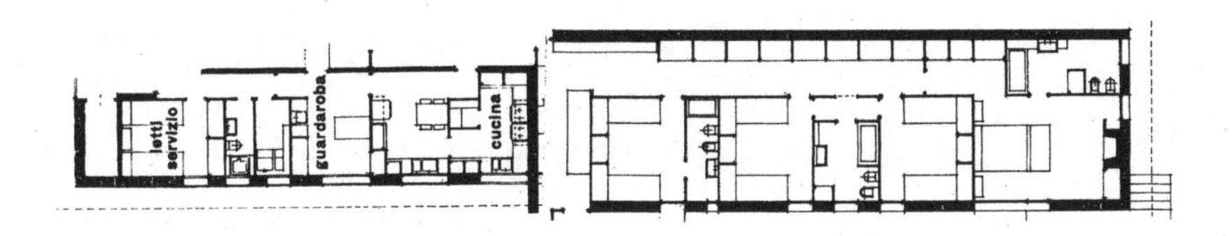

Bisgiugno

Descrizione.
Questo mese è il bis del precedente: se un mese è bello, non vale la pena di cambiarlo, vero? Per tutto il mese è sempre il giorno 10: è una specie di incoraggiamento agli scolari, che a metà mese sostengono gli esami.

Date da ricordare.
TERZO 10 BISGIUGNO. Anniversario della nascita di Quintus Silenius (un altro, un altro, lo avete indovinato), studioso della coltivazione delle comete e delle stelle cadenti.

QUINDICESIMO 10 BISGIUGNO. È l'ultimo giorno dell'anno. Quando la gente è particolarmente soddisfatta si decide che è inutile cambiare il calendario, e si ricomincia l'anno da capo. Per esempio, si ricorda che il 2567 fu ripetuto ben quindici volte di seguito: fu l'anno in cui morí in prigione l'ultima bomba atomica.

In questo giorno il Capo del Governo-Che-Non-C'è dovrebbe fare un discorso alla televisione, ma non si riesce quasi mai a trovarlo. Il discorso lo fa un usciere, un elettricista, un idraulico, ed è bellissimo lo stesso. Una volta lo fece un bambino di tredici mesi. Disse solo: «Uè, uè», ma si capí ugualmente che augurava felicità a tutti.

Oroscopo.
I nati di bisgiugno ameranno i biscotti, le biscrome, il bisnonno, e saranno forse un tantino bisboccioni.

Titolo consigliato.
Supremo Assaggiatore di Cocomeri e Gran Triciclo del Regno.

Il proverbio del mese.
Dopo matura riflessione finalmente mi sono accorto che i grandi hanno ragione tutte le volte che non hanno torto.

Il muro parlante

Raccolta quasi completa dei cartelli e degli avvisi copiati su quel pianeta...

È VIETATO ARRABBIARSI. I TRASGRESSORI
SI PRESENTINO DOMANI
ALL'ACCALAPPIACANI.

È PERMESSO GIOCARE NELLE AIUOLE,
COGLIERE I FIORI, SDRAIARSI AL SOLE,
ARRAMPICARSI SUI PINI.
(I VIGILI SONO PREGATI
DI AIUTARE I PIÚ PICCINI.)

ATTENZIONE ATTENZIONE:
OGNI MATTINO ALLE NOVE
SI FARÀ LA DISTRIBUZIONE
DELLE BARZELLETTE NUOVE.
SI RACCOMANDA LA PUNTUALITÀ.

IN QUESTA CITTÀ È PROIBITO
ANDARE A LETTO SENZA CENA.

DIVIETO DI PASSAGGIO
A MACCHINE E PERSONE
QUANDO I RAGAZZI GIOCANO AL PALLONE.

AVVISO AI SIGNORI SERI:
NEI GIORNI DI FESTA
SIETE PREGATI DI CAMMINARE
SULLE MANI E SULLA TESTA.

SE SAPETE FUMARE LA PIPA
SAPETE RACCONTARE UNA FAVOLA!
NONNI: ISCRIVETEVI
AL CORSO SPECIALE
PER FAVOLIERI.
COMINCERÀ IERI.

SE VI È RIMASTA UNA BUGIA DA DIRE
DITELA OGGI,
PERCHÉ DA DOMANI
È VIETATO MENTIRE.

SU QUESTO PIANETA
È SEVERAMENTE PROIBITO
FARE LA GUERRA
PER MARE PER TERRA
O SOTTERRA.
I TRASGRESSORI VERRANNO PRESI PER LE ORECCHIE
E GETTATI IN CIELO.

Poesie per ridere

La bottega dei nasi

Su quel pianeta
c'è la bottega dei nasi.
Nasi per tutti gli usi e per tutti i casi.
Un poveretto
col raffreddore
ci trova un bel nasino a rubinetto
che non deve stare a soffiarselo
a tutte l'ore.
C'è il naso a candela
per chi teme che manchi la corrente,
il naso a doccia per bagnare i fiori,
il naso a pipa per fumatori,
il naso a cannocchiale per astronomi,
capitani di marina
e vecchiette curiose
che passano la mattina
alla finestra
a ficcare il naso
nelle finestre altrui.
E c'è il naso a pennello,
modello Raffaello,
per pittori frettolosi
(se non gli bastano le mani e i piedi...)
Nasi moderni, nasi alla moda:
per comprarli la gente fa la coda.

La guida telefonica

Su quel pianeta
una domenica
non sapendo che fare
mi sono messo a leggiucchiare
la guida telefonica.
Lettura divertente.
Quanti numeri, quanta gente,
e che cognomi buffi:
Schiaffone, Sberlone, Stantuffi...
Ma i servizi generali
quelli sí che sono geniali.
C'è il numero della Luna
(l'ho provato, risponde
una signora tanto lunatica,
ma d'altronde...)
Poi c'è lo zero trentatre,
il numero che piace a me:
prova a farlo ed ascolta,
ti risponde una nonna d'una volta
con la favola pronta
(quaggiú le nonne non usano piú:
le favole le racconta la TV).
Infine c'è il millanta
tantasette,
cioè quello che ti dice le barzellette.
Se sei di cattivo umore

ti fa ridere di cuore,
tu ridi un po',
e se hai fame, chissà,
forse ti passerà
e forse no.

La Befana spaziale

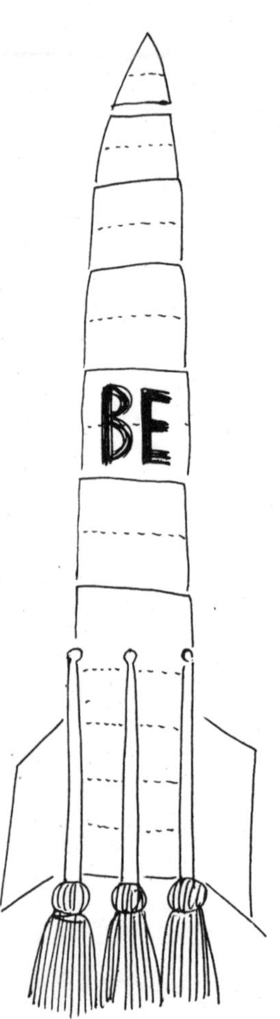

Su quel pianeta la Befana
viaggia a cavallo di un razzo
a diciassette stadi,
e in ogni stadio
c'è un bell'armadio
zeppo di doni
e un robot elettronico
con gli indirizzi dei bambini buoni.

Anzi con gli indirizzi
di *tutti* i bambini, perché
oramai s'è capito
che di proprio cattivi non ce n'è.

Traffico

Su quel pianeta
il vigile urbano
dirige il traffico
con una cometa in mano.
Dove la coda fa segno
si va.
Qualche volta la coda
fa segno a una giostra
coi cavalli di legno.
Pedoni, ciclisti,
automobilisti,
tranvieri e fattorini
debbono farsi un giro
sui cavallini.
E chi tenta di svignarsela
paga una multa
di tredici lupini.

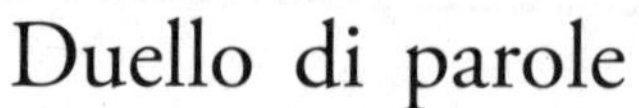

Duello di parole

Su quel pianeta hanno inventato un gioco
che si chiama «duello di parole».
A impararlo ci vuole poco.

Uno dice una parola,
per esempio «pianta».
Il secondo ne dice un'altra,
per esempio «gatti».
Il terzo le mette insieme
e inventa la «pianta dei gatti».
Roba da matti,
ma non è tutto.
Il quarto la deve disegnare,
con un gatto al posto d'ogni foglia
e un gatto al posto d'ogni frutto.
Al quinto invece tocca raccontare
la storia del contadino
che un giorno va per cogliere le pere
e crede di stravedere:
cosa fanno sui rami
quei piccoli gattini acerbi
che ancora non sanno miagolare
né fare le fusa?

La natura si è confusa?
È impazzita?
Ah, ma non è finita:
aspettate che i gatti maturino,
che saltino giú...
(La storia come continua?
Prova un po' a dirlo tu.)

Insalata di favole

Su quel pianeta
hanno inventato la ricetta
per fare l'insalata con le favole.
Vi spiego di che si tratta.

Dunque,
si prende una storia qualunque
(per esempio, Pinocchio),
si prende un'altra storia qualunque,
(supponiamo Cenerentola),
si mettono in pentola
e si cuociono in compagnia
a bagnomaria
mescolando con un cucchiaio d'argento.
Si aggiunge pepe, sale, un po' di salvia,
poi si versa e si ascolta
la storia nuova: «*C'era una volta*
una burattina di legno
che si chiamava Cenerentola.
Sognava di andare a ballare
nel castello del Principe Geppetto
ma la matrigna cattiva
glielo proibiva.
Vegliava su lei, per fortuna
la Fata Pinocchio
dal Naso Turchino

che fece un incantesimo
davvero sopraffino,
eccetera eccetera
e via di questo passo...»
(Continuate un po' da soli,
sarà certo uno spasso.)

L'elefante bugiardo

Nel paese degli elefanti
viveva un elefante
di nome Pinocchio.
Ma al contrario del nostro Pinocchio
appena raccontava una bugia
la proboscide gli si accorciava
a vista d'occhio.
Paese che vai, bugia che trovi,
non è vero?
Alla fine della storia
Pinocchio diventa sincero.
Quell'elefante invece è diventato
il Primo Gran Bugiardo dell'Impero.

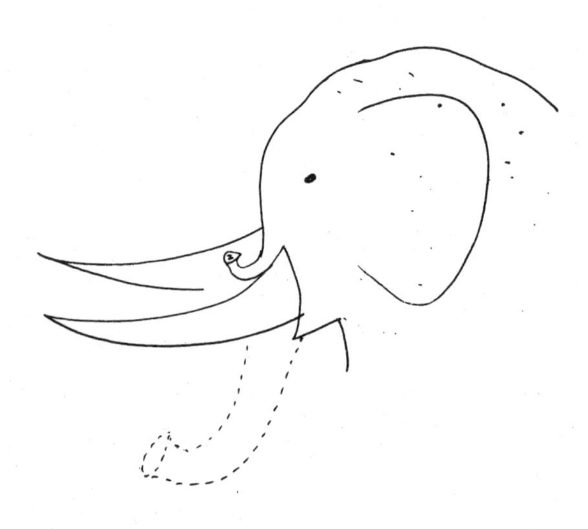

Primo io!

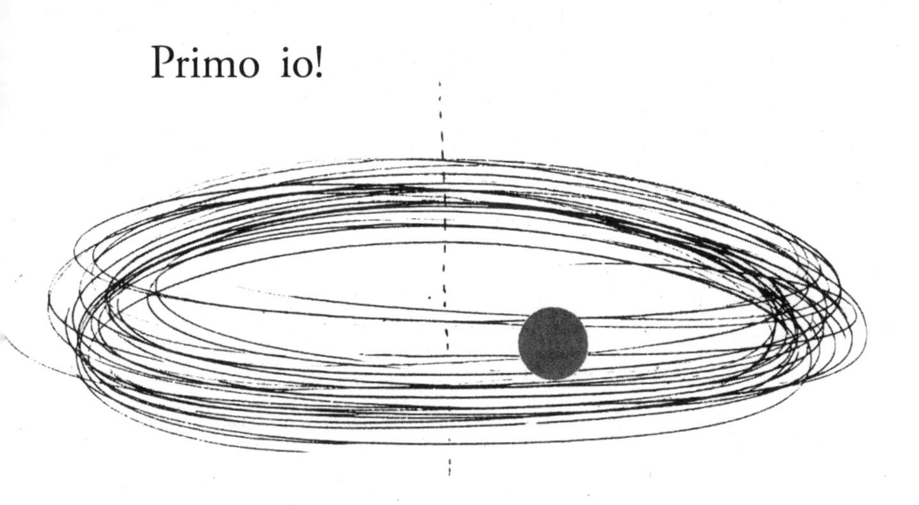

I cavalli d'una giostra
girando in tondo in tondo
facevano la corsa.
La giostra si fermò.
– Primo io! – il primo gridò.
– Primo io! – gridò il secondo.
– Primo! Primo io! – gridarono
con la stessa allegria
senza un briciolo d'invidia
il terzo, il quarto, il quinto,
tutta la compagnia...

Ed io sono convinto
che non fu per malizia o confusione.
Penso tanto che avessero ragione
i bravi cavallini scalpitanti:
la gioia della corsa
è uguale per tutti quanti.

La passeggiata dei numeri

Quando l'Otto a spasso va
con la dolce sua metà
sussurra una vocina:
– Otto e Quattro, guarda, guarda...
Quella non è una coppia, è una dozzina!

Eh, ce n'è della gente
maldicente.
Ma l'Otto, zitto, bada ai propri affari
e non s'arrabbia: è sempre d'umor pari...

Già, guai se si arrabbiasse,
guai se saltasse
a destra di sua moglie:
scoppierebbe di botto
un Quarantotto.

Permesso?

Una volta un signore
bussava a un portone
domandando «Permesso?»
con tanta educazione.

«Permesso?» domandava
con grande gentilezza.
Nessuno gli rispondeva.
Che silenzio. Che tristezza.

Il portone era cosí chiuso
che pareva una muraglia.
Era il portone di legno
di un castello in Cornovaglia.

La chiave non c'era
e neanche la serratura,
per aprirlo bastava
un po' di disinvoltura,

un po' di malcreanza,
s'intende, ma quel signore
era troppo bene educato
e bussava già da tre ore.

Bussò un giorno, una notte,
una settimana, un mese,
con voce sempre piú fioca,
ma sempre molto cortese.

Però dovete sapere,
signore e signori,
che lui bussava al portone,
ma non stava mica fuori.

Stava di dentro e chiedeva:
«Permesso? Si può uscire?»
Non c'era nessuno a rispondergli
per cento miglia all'in giro.

Era tanto bene educato
che bussava con i guanti.
Morí dentro il portone
perché nessuno gli disse «Avanti».

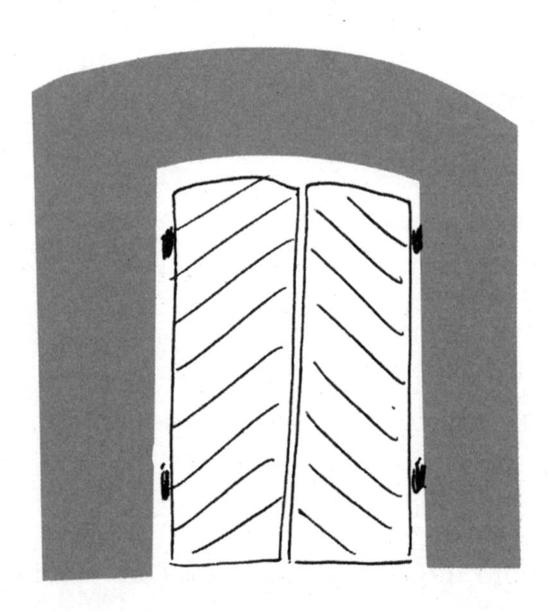

La parola palazzo

Una volta un signore
andò ad abitare
nella parola «palazzo».

Non c'erano muri
e tirava vento.
Non c'era il tetto
e pioveva dentro.

Allora quel signore
si provò ad indossare
la parola «cappotto»,
ma l'acqua e la tramontana
ci passavano sotto.

Quel signore
si prese il raffreddore.
Per tutta una settimana
si curò con la parola «medicina»
(due cucchiaini la sera
e due la mattina).

Però in definitiva
se non correva la Croce Rossa
a quest'ora davvero
era bell'e sepolto
nella parola «cimitero».

Il cavaliere Tonto

Signori e signore, il cavallo è già pronto:
si volta la pagina e si vede il cavaliere Tonto.

Il cavaliere Tonto sta per balzare in sella,
si volta la pagina e si vede la sua Bella.

Tonto, Tontino mio, dove vai tutto in una volta?
Si volta la pagina e la risposta si ascolta.

Bella, Bellina mia, fuggo lontano da te.
Si volta la pagina e si impara il perché.

Fuggo da te lontano per guardarti nel cannocchiale.
Si volta la pagina, la Bella si sente male.

Nel cannocchiale a rovescio ti vedrò anche piú carina.
Si volta la pagina e si vede la marina.

In riva al mare galoppa Tonto sul suo destriero.
Si volta la pagina e si svela il mistero.

La Bella, da vicino, è alta un chilometro e tanti:
è nata sul Pianeta Massimo, dove tutti sono giganti.

Tontino è di Pinerolo, statura regolare:
per vederla tutta intera è cosí che deve fare.

Il principe spiedato

Comincia la storia del Principe Ardito:
si fa un passo avanti, ha già perduto un dito.

Il Principe Ardito le truppe comanda:
si fa un passo avanti, ha perso tutta la gamba.

O Principe Ardito, sei spiedato, ma bello.
Si fa un passo avanti, si entra nel castello.

Qui c'è la Regina che ha perso la testa:
si fa un passo avanti, c'è il Re che fa festa.

Fa festa perché a lui la testa è rimasta:
si fa un passo avanti, si vede che non basta.

Gli è rimasta la testa, ma il collo non ce l'ha:
si fa un passo avanti e l'inchino a Sua Maestà.

Il Primo Maggiordomo non ha che il naso e il gilè:
si fa un passo avanti e si indovina il perché.

La corte infelice del principe spiedato
è il vecchio teatrino del Natale passato.

Vanno in pezzi le marionette, ch'erano tanto belle:
la testa della Regina ce l'ha una delle ancelle.

Il nome

Vorrei chiamarmi Dante
e scrivere un bel poema,

vorrei chiamarmi Euclide
e inventare un teorema,

vorrei chiamarmi Giotto
e fare belle pitture,

vorrei essere il piú bravo
di tutte le bravure.

Vorrei chiamarmi Gianni[1]
come mi chiamo e sono

per aiutare questo mondo
a diventare un po' piú buono.

[1] Voi qui, naturalmente, dovete mettere il vostro nome: Paolo, Walter, Maria, Teresa, eccetera.

Indovinello

Indovina indovinello,
vola in cielo e non è un uccello,
va sottoterra e talpa non è,
non è un pesce e attraversa il mare:
viva l'uomo tutto-fare.

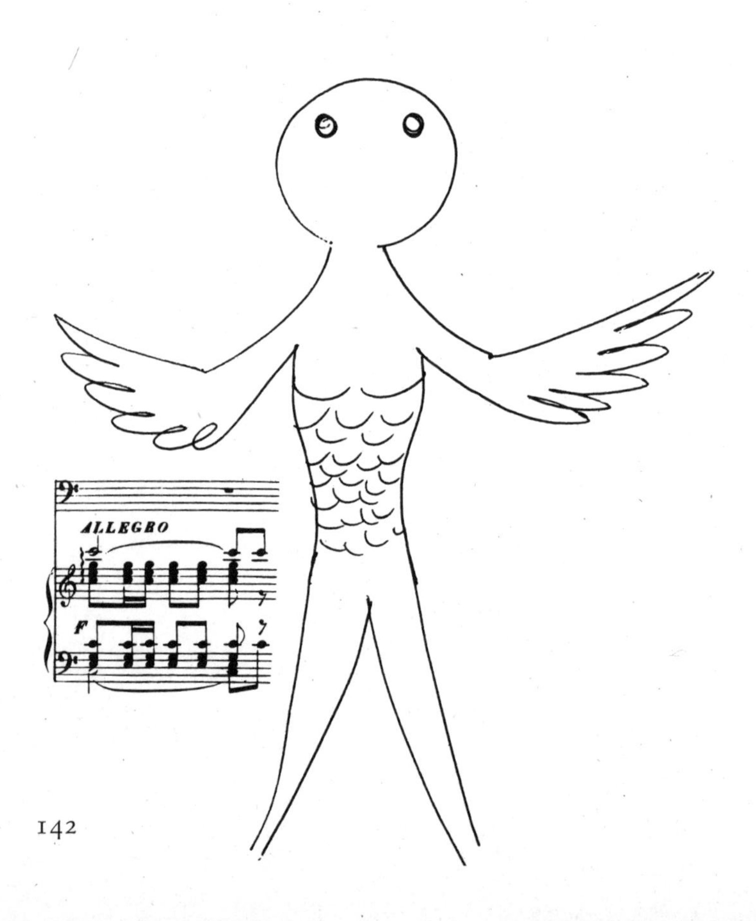

Poesie per sbaglio

Appello per le povere Zeta abbandonate

Dov'è l'uomo di cuore,
dov'è il benefattore
che fonderà il Ricovero
delle Zeta abbandonate?
Io tante ne ho incontrate
raminghe per il mondo,
col cuore in tocchi
e le lagrime agli occhi,
per colpa di certi scolari
che le hanno cacciate
dai vocabolari
e scrivono tutto con l'*esse*:
assione,
nassione,
radiocomunicassione,
e con l'esse pretenderebbero
di fare la *rivolussione*...

Guardate queste tre poverine
ridotte sul lastrico.
Sono tre gemelline.
Vivevano beate e pacifiche
in un parolone
ultramoderno: *magnetizzazione*.
Ci avevano il frigorifero, il frullino,
la gabbia col canarino,
insomma tutte le comodità.

Per colpa di un distratto (un ripetente)
hanno avuto lo sfratto
da un'esse prepotente
che adesso si gode
tutto l'appartamento.
Dove andranno? È una parola.
Nel Venezuela? Ce ne sta una sola.
Nel Canadà? Non c'è posto per loro
perché non sanno fare alcun lavoro.

Osservate come si trascina
sui marciapiedi
quest'altra meschina.
A camminare a piedi
non c'è proprio abituata:
stava su un aeroplano a reazione,
ma l'hanno sbarcata a forza
e bistrattata
peggio d'una clandestina.
Io poi vorrei sapere
come farà a volare
un aeroplano a *reassione*.
Mi aspetto un ruzzolone
di quelli seri.
Poveri passeggeri.

Ecco infine una Zeta che del male
davvero non ne ha fatto mai:
capirai,
lei stava nello zucchero filato.
Vedremo adesso
se con l'esse lo *succhero* è dolce lo stesso.

E nessuno muoverà un dito
per ridare una vita lieta
a queste povere Zeta
derelitte?
Chi consolerà le afflitte?
Chiedono poco, in fondo:
un angolino per restare al mondo,
un po' di assistenza, un tetto,
un letto, e magari, via, un televisore
per passare le ore.

L'upo

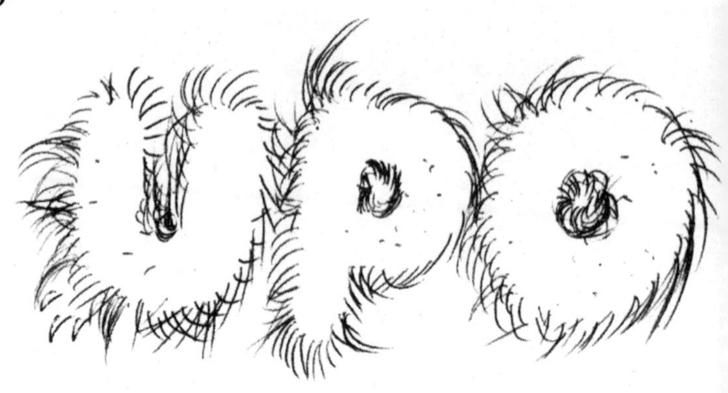

C'era una volta un povero *upo.*
Per essere un lupo intero
gli mancava la elle.
Gliel'aveva portata via
un apostrofo per invidia
o per gelosia.
Fatto sta che lo sventurato
veniva continuamente
sbeffeggiato.
La piú timida capretta
in sua presenza
sventolava spavalda la barbetta
e faceva la spiritosa:
«Cos'è, una nuova moda?»
Gli agnellini gli tiravano la coda
poi gli cantavano «*Upo*, ci sei?»
e ridevano a crepapelle,
senza il minimo rispetto.
Un giorno il povero *upetto*,
spinto dalla disperazione,
andò a chiedere l'elemosina di un'elle

all'allodola: «Tu che ne hai tante,
darmene una non ti costa niente,
credimi, ti sarò riconoscente».
Ma l'allodola con un trillo
spiccò il volo e gli rispose:
«Chiedila al coccodrillo».

Tanti bachi

Una bambina in vacanza
(forse a Capri, forse in Brianza)
mandò alla sua mammina
una bella cartolina
con «tanti bachetti».

Figuratevi la buona signora
al vedersi capitare
per casa quegli insetti.

Per fortuna erano bachi da seta,
e la mamma, senza inquietarsi,
ci fece una sciarpetta
per la sua cara bimbetta.
Gliela mandò in un pacco
sigillato con la ceralacca
e dentro ci mise anche «tanti baci»,
però di quelli buoni, senza l'acca.

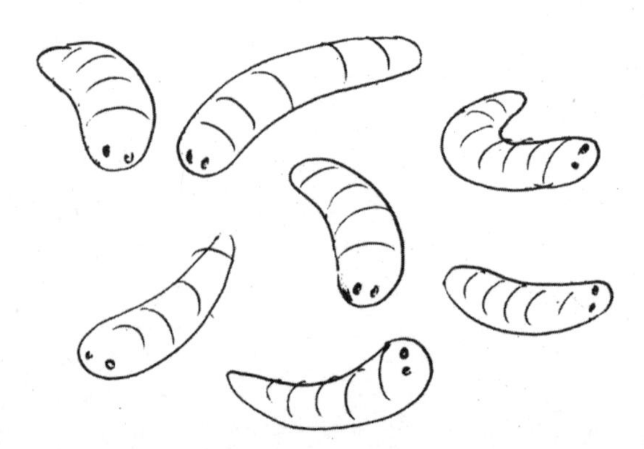

L'ottomobile

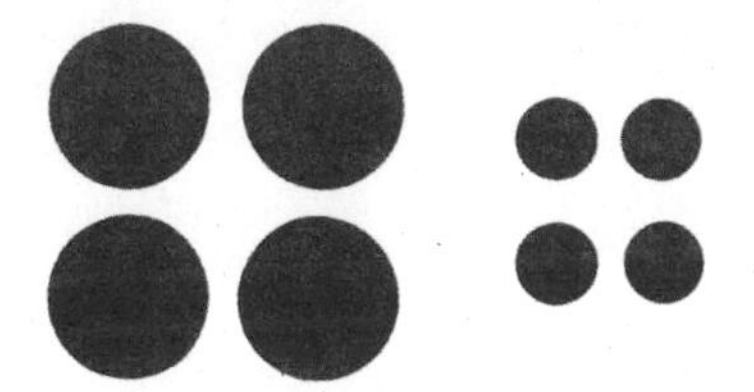

Tra le macchine sbagliate
per colpa dell'ortografia
osservate l'*ottomobile*.
Una vera sciccheria.
Il trionfo dell'otto:
otto ruote, otto trombe,
otto carburatori,
otto marmitte con otto rumori,
otto fanali di otto colori
tutti differenti,
otto freni, otto frizioni,
otto candele, otto pistoni.
Ci stanno otto persone
di media statura,
e nessuno ne ha paura perché va
alla velocità
di otto chilometri all'ora.
Si dirà: «Meno di un triciclo». È vero.
Però è una macchina otto volte elegante,
e con otto piccole modifiche
si trasforma in un otto volante.

L'autonobile

Pareva una macchina
precisa a tante altre,
invece, ecco qua,
si scopre che è un'autoNobile.
Sarà marchesa, contessa,
baronessa,
chissà.
Dallo stato delle gomme,
dalla ruggine della carrozzeria
sospetto che si tratti
di una nobiltà
decaduta alquanto.
Non dubito che ai suoi bei giorni
sia stata ricevuta
a corte, con la meglio aristocrazia;
che abbia avuto dame di compagnia,
il maggiordomo, l'ancella,
il lacchè.
Sarà stata anche bella
il giorno delle nozze...
Ma adesso l'aspetta lo sfasciacarrozze.
Tuttavia, tuttavia,
è sempre un'autonobile:
lo puoi vedere
dalle buone maniere,
dalle maniglie fini e affusolate
delle povere portiere sgangherate.

Papa o papà?

Privato del suo accento
una volta un papà
si trovò là per là
papa, nientemeno,
di tutta la cristianità.

– Troppo onore, troppo onore, –
sorrise l'eletto.
– Non sono neanche vescovo,
neanche monsignore.
Porto le mezze maniche
e non me ne lamento.
Su, su, debbo andare in ufficio:
ridatemi il mio accento.

Il cuore malato

Un povero *quore* con la *q*
(malattia delle piú rare)
andò da un dottore
a farsi visitare.

– Sono grave? Mi consiglia
di fare testamento
per provvedere alla famiglia?

– No, no, niente paura:
ho qui pronta per lei una bella cura.

Difatti gli diede la vitamina C
e il cuore guarí.

Il vecchio esploratore

O vecchio esploratore
che tanto ti affanni
e viaggi da tanti anni
e anche di piú:
possibile non ti accorga dell'errore?
Partisti in gioventú
per esplorare la *steppa*...
ma purtroppo capitasti nella *stoppa*
come un pulcino inesperto.
Per forza dici che il tempo
è sempre nebbioso e coperto,
che il mondo è tutto grigio,
che non si vede niente
di interessante.
Per una piccola svista
sei diventato pessimista
e brontoli: Tutto è sbagliato quaggiú!
Non vuoi proprio riconoscere
che l'errore l'hai fatto tu.

Sartine sott'olio

«Sartine sott'olio».
Sartine?
Ma sí,
c'è scritto cosí.
Sartine di Torino?
E chi lo sa,
magari di Vigevano,
magari di Bogotá.
Ma come fanno a stare
in quella scatoletta?
Non c'entrerebbe la punta
della loro scarpetta...
Anzi, sarebbe un caso
se c'entrasse la punta del naso.
Sott'olio, per giunta:
loro che sono sempre cosí linde...
Comunque, non chiedetemi di mangiarle:
non sono mica un cannibale, non sono.
(Poi si apre la scatoletta
e che cosa ci si trova?
Ditelo voi, ma in fretta...)

Il vincitore

Una volta per errore
un corridore ciclista
vinse una *toppa*
invece di una *tappa*.

Bel premio per un vincitore.
Alla vista di quello straccio
lui corre dalla giuria:
– Che cosa me ne faccio?

– Una toppa è utilissima, –
gli fanno osservare,
– puoi metterla sui gomiti,
sui ginocchi, dove ti pare.

Se poi vinci altre toppe
e le cuci per benino
avrai per Carnevale
un costume da Arlecchino.

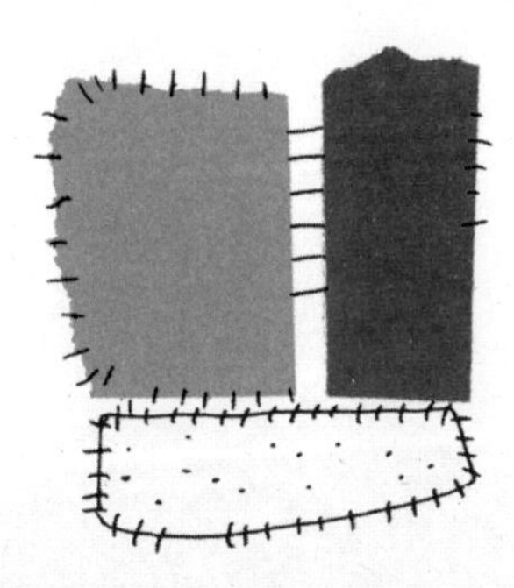

Arrivederci sulla Luna

Di bambini spaziali
ne conoscete? Io sí.
Ce n'è uno a Torino,
uno a Canicattí,

un terzo va all'asilo
a Sant'Angelo Lodigiano,
un quarto sta a Napoli,
un quinto a Milano.

Ce n'è uno a Firenze
che sbaglia le divisioni,
un altro sta ad Omegna
e adesso ha gli orecchioni.

Aspettate che guarisca,
vedrete cosa fa:
tra vent'anni sulla Luna
a spasso se ne andrà.

Aspettate che crescano
e vedrete se sono
bambini spaziali
oppure non lo sono.

Andranno sui pianeti
e faranno «cucú»
a noi poveri terrestri
rimasti quaggiú.

Ma forse una cartolina
ce la saprete mandare:
dopo tutto, siamo giusti,
chi vi ha insegnato a volare?

Indice

La biblioteca di Gianni Rodari

I Libri della Fantasia
Le avventure di Cipollino
Le avventure di Tonino l'invisibile
Fiabe lunghe un sorriso
Gelsomino nel paese dei bugiardi
Piccoli vagabondi
Grammatica della fantasia
Filastrocche lunghe e corte
Atalanta
Filastrocche per tutto l'anno
Favole al telefono
Venti storie piú una
La Freccia Azzurra
Le Storie della Fantasia
Il libro degli errori
Tante storie per giocare
La torta in cielo
Il libro dei perché
Prime fiabe e filastrocche
Filastrocche in cielo e in terra
C'era due volte il barone Lamberto
Novelle fatte a macchina
La filastrocca di Pinocchio
Il Pianeta degli alberi di Natale
Le favolette di Alice
Il gioco dei quattro cantoni
Fiabe e Fantafiabe

Gli affari del signor Gatto
I viaggi di Giovannino Perdigiorno
Storie di Marco e Mirko
La gondola fantasma
Fra i banchi
Zoo di storie e versi
Il secondo libro delle filastrocche
Grammatica della fantasia (40 anni)
Le Parole della Fantasia
Gip nel televisore e altre storie in orbita
La Voce della Fantasia

Finito di stampare per conto delle Edizioni **EL**
presso LEGO S.p.A. - Stabilimento di Lavis (Tn)

Ristampa				Anno		
1	2	3	4	2015	2016	2017